JN072556

決定版
エクセルの「時短技」ぜんぶ！

守屋恵一

宝島
SUGOI
文庫

宝島社

はじめに

エクセルには、非常にたくさんのテクニックがあります。そのすべてを覚えようとするのは効率的ではありませんし、そもそも無理なことです。そこで、本書はテクニックをたくさん詰め込むのではなく、「本当に役に立つテクニック」を厳選して掲載しています。

また、エクセルには多くの機能が搭載されており、その機能をどんな場面で使用すべきかを判断しづらいことがあります。本書では、「業務をより効率的に進める」という目的をはっきりと掲げ、それに合致した機能とその使い方に絞って取り上げています。

本書の特徴としては、まず見た目を整えるよりも「データの汎用性」を重視しています。また、「ショートカットキー至上主義」に陥らないように留意し、代わりに書式設定など利用頻度の高い機能を積極的に取り上げています。さらに、セキュリティ面から忌避されがちなExcel VBAによるマクロを紙数の許す限り、紹介しました。

業務の効率化で最も重要なのは、常に改善し続けるのだという意思を持って行動することです。本書がその助けとなることを心より願っています。

守屋恵一

Contents

CHAPTER 2 書式設定を活用して読みやすい表を作る

CHAPTER 3 難関の数式・関数の 楽勝テクニックはコレだ！

CHAPTER 4

手際よく思いどおりにサクッと印刷する

CHAPTER 5 さまざまな時短技で 作業時間を一気に短縮！

第1章

入力・編集を
マスターして
時短効果を最大に！

本書では、まずデータの入力とセルの編集作業の高速化から話を
始めます。入力作業を時短できるかどうかは、細かいテクニックをど
れだけスムーズに使いこなせるかにかかっています。マウス中心の操
作を卒業し、ショートカットキーを使ったキーボード中心の操作にた
どりつければ、第一歩としては上出来でしょう。あとは、ちょっとした
設定を駆使してミスを防ぎ、余計な手間がかからないようにします。
また、データの作成時には再利用性・加工のしやすさを重視しましょ
う。見た目のわかりやすさを求めるのは、その次のステップです。さら
に、文字データを入力する際には、できるだけ細かく分節して入力す
るのがおすすめです。エクセル上でデータを結合するのは簡単ですが、
分離は面倒なためです。

01 入力時には マウスに絶対触らない

エクセルの操作をスピードアップする第一歩は、できるだけマウスに触らないことです。マウスでの操作から、キーボード操作中心に切り替えると、スピードアップを実感できるはずです。

アクティブセルはマウスに触らず移動する

パソコンの操作一般にいえるのですが、マウスやタッチパッドを使うと、マウスポインターの位置を見失うことや、目的の場所にマウスポインターを合わせるのが難しいことはよくあります。また、リボンのアイコンを探したり、深い階層にあるメニューを掘り起こしたりするには手間もかかります。このようにマウスを使った操作は時間のロスにつながるので、できる限りマウスを使わない操作が望まれます。

そこで使いたいのがキーボードです。キーボードならマウスで発生する時間のロスや手間を省略できます。特にアクティブセルの移動などの基本操作は、キーボードでサクッと操作しましょう。

アクティブセルの移動はキーボードから

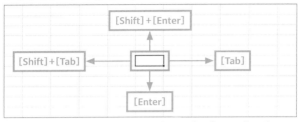

アクティブセルを移動するには、[Enter]キーと[Tab]キー、[Shift]キーを組み合わせて行う

表の中にアクティブセルがある場合、[Ctrl]キーとカーソルキーや[Home][End]キーとの組み合わせで簡単に移動できます。

表の中で移動するにはカーソルキーを使う

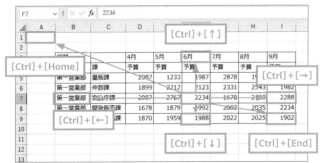

[Ctrl]キーとカーソルキーの組み合わせでスムーズに移動できる。[Home]や[End]キーと組み合わせると、最初または最後のセルへすぐに移動可能だ

アクティブセルの移動をマスターしたら、セルを選択するキー操作もマスターしておきましょう。セル選択はエクセルを操作する中で非常によく使う操作ですので、時短につなげるなら必須の操作です。[Shift]キーを押しながらカーソルキーを押すと、選択範囲が拡張されます。また、カーソル移動のうち、[Ctrl]キーを使う操作もセル選択の省力化に役立ちます。

セルを選択するときもキーボードから

キー操作	結果
[Shift]+[→]	右のセルも併せて選択
[Shift]+[←]	左のセルも併せて選択
[Shift]+[↑]	上のセルも併せて選択
[Shift]+[↓]	下のセルも併せて選択
[Shift]+[Space]	アクティブセルを含む行を選択
[Ctrl]+[Space]	アクティブセルを含む列を選択
[Ctrl]+[Shift]+[→]	アクティブセルから表の右端まで選択
[Ctrl]+[Shift]+[←]	アクティブセルから表の左端まで選択
[Ctrl]+[Shift]+[↑]	アクティブセルから表の上端まで選択
[Ctrl]+[Shift]+[↓]	アクティブセルから表の下端まで選択
[Ctrl]+[Shift]+[End]	アクティブセルから表の右下のセルまで選択
[Ctrl]+[Shift]+[Space]	表全体を選択

[Shift]+[Space]キーは、日本語変換がオフになっているときのみ使える

02 移動したいセルに 一瞬で移動するには

シート上に複数の表があって入力・参照する場所が分かれている場合、いちいちマウスで移動していては不便です。瞬時に別のセルへジャンプする方法を覚えておきましょう。

移動したいセルに一瞬で移動するには

「いつも参照したい表が複数あるけれど、離れているので移動が大変……」という場合、セルに名前を付けて移動する方法があります。移動先のセルの「名前」ボックスに任意の文字列を入力すれば設定は完了です。あとは、「名前」ボックスから移動先を選択するか、「ジャンプ」ダイアログを表示して選択します。

名前を付けられるのは、単独のセルだけでなく、セル範囲も可能です。しかし、移動先として登録する際はセル範囲で名前を付ける必要はないでしょう。

なお、「名前」ボックスにフォーカスを移動するショートカットキーは用意されていません。

参照先のセルを選択する

参照したい表のセル（この例ではA1）を選択し（❶）、「名前」ボックスをクリックする（❷）

任意の名前を付ける

	A	B	C	D	E	F	G	H	I
1	商品名	価格	メーカー	納入数					
2	液晶テレビ	68000	エスケー	20					
3	ドライヤー	12800	マルス	10					
4	炊飯器	28000	トイック	18					
5	洗濯機	108000	クニマル	3					
6	冷蔵庫	145800	エスケー	18					
7	掃除機	45800	ディーケー	22					
8	ミシン	22800	ゼット	9					
9	スピーカー	19800	ダイナモ	15					
10									

名前ボックス：仕入表　　fx 商品名

参照先のセルに付けたい名称を入力し、[Enter] キーを押す。これで名前が登録された

「ジャンプ」ダイアログで移動先を選択する

表を参照したいタイミングで、[Ctrl]＋[G]キーまたは[F5]キーを押す。すると「ジャンプ」ダイアログが開き、利用可能な移動先の一覧が表示される。この中の名前をダブルクリックすると、その場所へアクティブセルが移動する

「名前」ボックスからも移動できる

「名前」ボックスの右にある「∨」をクリックする。表示される一覧から名前を選択すると、そのセルへ移動できる

03 一度入力した文字列は 次からタイピング不要

エクセルに限りませんが、同じ操作の反復をできるだけ避けることが時短につながります。同じ列に同じ文字列を入力しなければならないときは、オートコンプリートのリストを使います。

文字列を1つの列に入力するのは一度きり

「キーボードからの入力が遅い人は、タイピングの練習をすればいい」と思っていませんか。確かに、タッチタイピングがおぼつかない人は、キーを見なくても入力できるようにすべきでしょう。しかし、タイピングの練習をすればするほど、どんどん入力速度が上がっていくかというと、そうでもないようです。短距離走を練習してもスピードが上がり続けることはないように、タイピングの速度は人によって上限があると考えたほうがいいでしょう。スムーズに入力できていれば、それで良しとすべきです。

しかし、業務では実力以上の速さを求められることは少なくありません。そういうときは、キーを叩く回

数を減らすほうに考え方を変えるべきです。オートコンプリートのリストを使うのも1つの手です。ここでは、同じ列に同じ文字列を何度も入力する場面を想定してみます。社員名簿で所属部署を入力していきます。

ドロップダウンリストを表示する

▲	A	B	C	D	E	F	G	H
1	氏名	所属部署						
2	広橋達也	営業部						
3	宮本祐樹	資材部						
4	羽田満	広報部						
5	遠藤幸恵							
6	馬場清治							
7	髙橋誠							
8	永井雄一							
9	渡辺しおり							
10	木山茜							
11	北岡由紀							
12								

入力先のセルを選択した状態で、[Alt]＋[↓]キーを押す

ドロップダウンリストから入力する

▲	A	B	C	D	E	F	G	H
1	氏名	所属部署						
2	広橋達也	営業部						
3	宮本祐樹	資材部						
4	羽田満	広報部						
5	遠藤幸恵							
6	馬場清治							
7	髙橋誠							
8	永井雄一	営業部						
9	渡辺しおり	広報部						
10	木山茜	資材部						
11	北岡由紀							
12								

オートコンプリートのドロップダウンリストが表示されたら、[↓][↑]キーで入力したい値を選択して[Enter]キーを押す

04 連続する数値の入力は エクセルに任せる

表に番号を振りたいとき、コツコツとキーを叩くのは最悪の選択肢です。ランダムな数字を入力する場合はしかたありませんが、連続した数値など何らかの法則があるなら、別の方法を考えましょう。

4種類の入力方法を使い分けよう

　数値を大量に入力したいときは、テンキーのあるパソコンを使うと便利です。もしテンキーのないキーボードを使っているなら、USB接続などの外付けテンキーを購入するといいでしょう。ほぼすべてのパソコンで使えます。

USB接続のテンキーを使う

写真はエレコム「TK-TCP018BK」（実勢価格：1820円）。パソコンのUSBポートに接続するだけで利用でき、数字を効率よく入力できる。なお、どのテンキーでもいえることだが、購入する場合は使用するパソコンに対応しているかどうか必ず確認しよう

　しかし、順番に数値を連続入力するだけなら、キーボードを使う必要はほとんどありません。数値を連続で入力するだけなら、①2つのセルを選択してフィルハンドルをダブルクリック、②[Ctrl]キーを押しながらフィルハンドルをドラッグ、③2つのセルを選択してからフィルハンドルをドラッグ、④連続データの作成機能の4種類があります。この4つの方法のうち、①〜③を「オートフィル」と呼びます。入力を省力化するテクニックの中では、基本かつ最重要なものですので、必ず使えるように覚えておいたほうがいいでしょう。その中でも最も基本かつ最重要なのが、①2つのセルを選択してフィルハンドルをダブルクリックする方法です。

　隣のセルにすでに値が入力されていれば、スタートになる数値を入力し、そのセルのフィルハンドルをダブルクリックすれば連続した数値を入力できます。

　なお、数値のみのセルでも文字列が含まれたセルでも使えますが、隣の列に値が入っていなければ、その上のセルまでで入力が停止します。また、1つのセルだけ入力してフィルハンドルをダブルクリックすると、同じ数値が入力されます。これはこれで使いたい場面があるので、知っておくと便利でしょう。

連続数値をダブルクリックで入力

	A	B	C	D	E	F
A2	▼ : × ✓ fx 1期					
1	**工期**	**担当支店**				
2	1期	東京				
3	2期	名古屋				
4		札幌				
5		福岡				
6		横浜				
7		仙台				
8		大阪				
9						
10						
11						

連続数値の最初の値を2つ（ここでは「1期」「2期」）入力。入力したセル範囲を選択した状態で、マウスポインターを右下に合わせて十字型のフィルハンドルになったら、そのままダブルクリックする

一瞬で連続数値が入力される

	A	B	C	D	E	F
A2	▼ : × ✓ fx 1期					
1	**工期**	**担当支店**				
2	1期	東京				
3	2期	名古屋				
4	3期	札幌				
5	4期	福岡				
6	5期	横浜				
7	6期	仙台				
8	7期	大阪				
9						
10						
11						

隣の列にデータがある範囲まで、自動的に連続数値が入力された。多数のセルに入力したい場合でも、この方法なら一瞬で入力できるのがメリットだ

　1、2、3……などと連続した数値を入力したいときは、②[Ctrl]キーを押しながら数値の入ったセルのフィルハンドルをドラッグすれば入力できます。「1個」のように文字を含んだ値が入っている場合は、[Ctrl]キーなどを押さなくても連続した数値を入力できますが、押しながらドラッグが基本だと覚えておくほうが便利です。

　なお、[Ctrl]キーを押さずにフィルハンドルをドラッグした場合は、セルの値によって結果が変わります。数値だけであれば、同じ数値が入力され、文字を含んでいれば1つずつ数値が増えていきます。

[Ctrl]キー＋オートフィルを実行

A2	▼	⋮	× ✓ ƒx	1		
▲	A	B	C	D	E	F	G
1	開催回	テーマ	担当者				
2	1	和食	山中				
3		イタリア料理	高山				
4		中華料理	松本				
5		フランス料理	戸塚				
6		タイ料理	加山				
7		ドイツ料理	真下				
8		イギリス料理	高岡				
9							
10							

最初の数値が入力されたセルを選択し（❶）、右下角にマウスポインターを合わせる（❷）。ポインターの形状が十字型のフィルハンドルになったら、[Ctrl]キーを押しながら入力したい範囲までドラッグする（❸）

連続する数値が入力される

A2	▼	:	×	✓	fx	1			
	A	B	C	D	E	F	G	
1	開催回	テーマ	担当者					
2	1	和食	山中					
3	2	イタリア料理	高山					
4	3	中華料理	松本					
5	4	フランス料理	戸塚					
6	5	タイ料理	加山					
7	6	ドイツ料理	真下					
8	7	イギリス料理	高岡					
9								
10								

ドラッグした範囲まで連続数値が入力された。簡単な操作方法で、スピーディに入力できる

　1、3、5……などのように、一定の間隔で増減する数値を入力するには、③2つのセルを選択してフィルハンドルをドラッグします。なお、文字を含む値が入ったセルでも同じ結果を得られますが、異なる文字列の場合は別の結果になります。また、3つ以上のセルを選択した場合は、数値が一定の間隔でなければ、選択したセルの値を反復します。

一定間隔の連続数値を入力

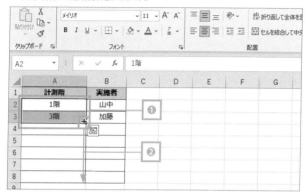

連続数値の最初の値を2つ（ここでは「1階」「3階」）入力する（❶）。そのセル範囲を選択したら、フィルハンドルを入力したい範囲までドラッグする（❷）

連続数値が入力される

	A	B	C	D	E	F	G
1	計測階	実施者					
2	1階	山中					
3	3階	加藤					
4	5階						
5	7階						
6	9階						
7	11階						
8	13階						

この例では、「1階」「3階」「5階」「7階」のように、2つずつ増加する連続数値を入力できた

大量の連続データを作成するには

　ここまでフィルハンドルをマウスで操作する方法を解説してきました。しかし、フィルハンドルをダブルクリックする方法はともかく、ドラッグする方法ではセルの数が増えると誤操作の恐れが高くなります。たとえば、1万行も下にドラッグするような場合、マウスポインターをウィンドウの外に出すとスクロール速度は上がり、思った場所で止められません。そのようなときは、あらかじめどこまで連続した数値を入力するかを先に確認してから、④連続データの作成機能を利用します。

　ただし、文字が含まれた値で連続データを作成したい場合、これから説明する方法ではうまくいきません。この場合は、まず最初のセルに「1個」などの最初の値を入力します。次に、最初のセルから連続データを入力したいセルの末尾までを選択します。最後に「連続データ」ダイアログで連続データの入力方法を設定する際、「種類」で「オートフィル」を選択します。これで選択した範囲に連続データを挿入することができます。

「連続データの作成」を開く

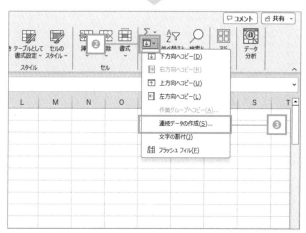

はじめに、連続データの最初の数値を入力して、そのセルを選択した状態にしておく（❶）。次に「ホーム」タブの「編集」グループで「フィル」をクリックし（❷）、「連続データの作成」を選択する（❸）

連続データの入力方法を設定

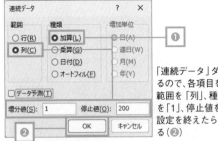

「連続データ」ダイアログが表示されるので、各項目を設定する。ここでは範囲を「列」、種類を「加算」、増分値を「1」、停止値を「200」とした（❶）。設定を終えたら「OK」をクリックする（❷）

大量の数値でも簡単に入力

	A	B	C	D	E	F	G
1	通し番号						
2	1						
3	2						
4	3						
5	4						
6	5						
7	6						
8	7						
9	8						
10	9						
11							
195	194						
196	195						
197	196						
198	197						
199	198						
200	199						
201	200						
202							

A2　　　　×　✓　fx　1

「連続データ」ダイアログで指定した数値まで瞬時に連続データが入力された。入力するデータが多ければ多いほど、非常に便利なテクニックだ

05 オートフィルで（日）（月）（火）などと入力したい

オートフィルは入力の省力化には欠かせませんが、すべての場面で使えるとは限りません。オートフィルに対応していない文字列の並びに入力したいなら、オートフィルに機能を追加しましょう。

「ユーザー設定リスト」をカスタマイズする

　前節で解説したフィルハンドルをドラッグしたりダブルクリックしたりして入力するオートフィルを「月」と入力したセルに適用すると、「火」「水」などと入力されます。ほかには「1月」「2月」「3月」、「A」「B」「C」、「Mon」「Tue」「Wed」などが用意されていますが、「月曜」はうまくいきません。

　あらかじめ用意されているリストにない文字列でオートフィルを使いたいときは、自分でオートフィルのリストに追加するといいでしょう。ここでは「（日）」「（月）」「（火）」のように入力できるリストを作成します。

「ユーザー設定リスト」ダイアログを開く

「ファイル」タブをクリックしてBackstageビューを開き、左下の「オプション」をクリック。「Excelのオプション」ダイアログが表示されたら「詳細設定」を開き（❶）、「ユーザー設定リストの編集」をクリックする（❷）

連続する文字列をリストに追加

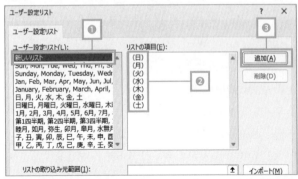

「ユーザー設定リスト」ダイアログが表示されたら、「新しいリスト」を選択（❶）。「リストの項目」欄に文字列を1個ずつ改行しながら入力し（❷）、「追加」をクリックする（❸）

リストに追加されたことを確認

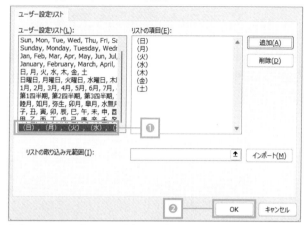

作成したリストが「ユーザー設定リスト」の末尾に追加されたことを確認し（❶）、「OK」をクリック（❷）。残りの画面もすべて閉じて、もとのエクセルの画面に戻る

オートフィルで連続データを入力

	A	B	C	D	E	F	G	H
1	日付	曜日						
2	1	（日）						
3	2	（月）						
4	3	（火）						
5	4	（水）						
6	5	（木）						
7	6	（金）						
8	7	（土）						
9	8	（日）						
10	9	（月）						
11	10	（火）						
12								

リストに登録したデータの1つ（ここでは「（日）」）をセルに入力し（❶）、フィルハンドルをドラッグすると、連続データとして入力できる（❷）

06 キーボードが苦手でも文字列を楽に入力する

入力する値が複数の文字列のうちのどれかだと決まっているなら、「データの入力規則」を使用することで高速かつ誤りなく入力できます。

セルに入力できる値を制限する

　文字入力が高速になれば、エクセルでの入力業務にかかる時間も削減できます。しかし、入力速度はそうそう簡単に上げられるものではありません。タイピングが遅い人は練習するとして、それ以外の対策も考えたほうがいいでしょう。

　たとえば、入力する文字列が複数の文字列の中から選択できる場合は、「データの入力規則」を設定しておくと、効率よく入力できるようになります。この方法を使うには、「データの入力規則」ダイアログで、あらかじめリストに文字列をすべて入力しておきます。ここでは、「カレーライス」「豚の生姜焼き」「ハンバーグ」「鶏の唐揚げ」の4種類から値を選択できるようにしてみましょう。

入力規則の画面を開く

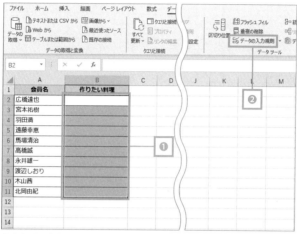

入力規則を設定したいセル範囲を選択しておき（①）、「データ」タブをクリックし、「データツール」グループの「データの入力規則」をクリックする（②）

入力規則を設定する

表示される画面の「入力値の種類」で「リスト」を選択する（①）。「元の値」に、入力したい文字列の一覧を「,」（カンマ）で区切って入力し（②）、「OK」をクリックする（③）

リストから簡単に入力できる

▲	A	B	C	D	E	F	G
1	**会員名**	**作りたい料理**					
2	広橋達也						
3	宮本祐樹	カレーライス					
4	羽田満	豚の生姜焼き					
5	遠藤幸恵	ハンバーグ					
6	馬場清治	鶏のから揚げ					
7	髙橋誠						
8	永井雄一						
9	渡辺しおり						
10	木山茜						
11	北岡由紀						
12							

入力規則を設定したセルを選択。右側にあるボタンをクリックするか（❶）、
[Alt] + [↓] キーを押すとリストが表示される。あとは、項目を選択するだけ
で入力できる（❷）

　なお、入力規則を設定したセルにキーボードから手
動で入力した場合、リストにない値を入力すると、エラー
が表示されるので注意しましょう。

リストにない項目を入力するとエラーになる

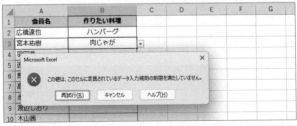

入力規則を設定したセルに、リストにない項目を入力するとエラーが表示
される

07 全角と半角を間違えやすくて困る

エクセルで問題になることは減ってきましたが、全角文字と半角文字を混在させると、見た目が気になることがあります。必ず半角で入力してほしいときは、「データの入力規則」を使います。

「データの入力規則」で切り替える

　最近のパソコンやスマホしか知らない人にとっては、全角文字と半角文字の違いはピンとこないかもしれません。全角と半角の違いは「文字の幅」です。全角が1文字分の幅を持つとすれば、半角はその半分の幅であるため「半角」と呼びます。漢字やひらがなは全角文字しかありませんが、英数字やカタカナ、一部の記号は全角と半角の2種類が存在しています。たとえば同じ「A」でも全角と半角では別の文字としてコードが割り当てられており、パソコンは違う文字として扱います。とはいえ、エクセルで数字を全角で入力すると、自動的に半角に変換されますし、検索の際でも英数字は全角と半角に関係なくヒットします。

そのため、数値の計算や印刷だけならあまり厳密に区別しなくてもかまいません。しかし、フォントによっては見た目がかなり異なるので、どちらかに揃えたいこともあるでしょう。また、関数では厳密に区別されます。ここでは、必ず半角で入力してほしいとき、入力モードが自動的に半角入力へ切り替わるように「データの入力規則」を利用して設定します。

入力値を制限したいセル範囲を選択する

	A	B	C	D	E	F
1	管理番号	商品名				
2		5色ボールペン				
3		日記帳				
4		ランニングシューズ				
5		速乾シャツ				
6		ソーラー電卓				
7		ブルーレイレコーダー				
8		バランスボール				
9		ダンベルセット				
10						

入力規則を設定するセルをすべて選択した状態にしておく

入力規則の画面を開く

「データ」タブをクリックし、「データツール」グループの「データの入力規則」をクリックする

「日本語入力」を設定する

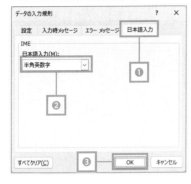

「データの入力規則」ダイアログが表示されるので、「日本語入力」タブをクリックする（❶）。ドロップダウンリストから「半角英数字」を選択し（❷）、「OK」をクリックする（❸）

入力モードが自動的に切り替わる

入力規則を設定したセルを選択すると（❶）、自動的に半角英数字の入力モードに切り替わる（❷）

08 複数シートの同じセルに同じ値を入力したい

作業者ごとに分かれた、それぞれのシートの同じセル番地に同じ値を入力したいとき、いちいちシートごとに入力していては非効率です。こういう場面では「作業グループ」を利用しましょう。

「作業グループ」でまとめて入力する

　複数のシートの同じセル番地に同じ値を入力したいとき、まず最初のシートで値を入力し、シートを切り替えて目的のセルを選択し、また同じ値を入力する……という作業を繰り返すのが一般的な方法です。この繰り返しは、シートの数が増えるとバカにならない手間がかかります。

　この手間を省くには、シートをまとめて「作業グループ」を作ってから値を入力します。シートがいくつあっても、入力作業は一度で済むのです。値の入力だけでなく、書式の設定も「作業グループ」でまとめられたすべてのシートに適用されます。

　なお、新しくイチから表が配置されたシートを複数

作りたいときは、この方法ではなく、1つのシート上に
まず表を完成させてシートごとコピーしたほうが便利
でしょう。

複数のシートを選択する

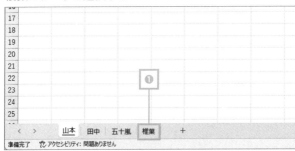

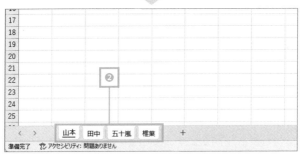

すべてのシートを選択する場合は、[Shift]キーを押しながら右端のシート（こ
こではシート「椎葉」）をクリック（❶）。すると、シートが選択状態になり（❷）、
作業グループが有効な状態になった。あとは通常どおり、入力や書式設定の
操作を行うだけだ。なお、連続していないシートを選択する場合は、[Ctrl]キー
を押しながら、ほかのシートをクリックすればよい

09 ほかのシートを 素早く表示させるには

通常、ウィンドウ下部のタブをクリックしてシートを切り替えますが、それでは頻繁にシートを切り替えたいときに時間がかかってしまいます。ここは必ずショートカットキーを使いましょう。

必ずショートカットキーを使う

　シートの切り替えは、エクセルの操作の中でも使用頻度が高いものの1つです。タブをクリックするだけなので、手順そのものは簡単ですが、マウスポインターを動かす距離を考えると、実は操作にかかる時間はバカになりません。ショートカットキーをマスターして、必ずキーボード操作でシートを切り替えられるようにしましょう。

　ただし、離れたシートへの移動は、ショートカットキーを使っても時間がかかってしまいます。何度もショートカットキーを繰り返すくらいなら、別の方法で移動したほうが速いでしょう。

シート操作のショートカットキー

キー操作	結果
[Ctrl] + [PageDown]	右側のシートに移動する
[Ctrl] + [PageUp]	左側のシートに移動する
[Shift] + [F11]	シートを追加する
[Alt] + [E] + [L]	シートを削除する

シートの移動は、[Ctrl] キーを押したまま、[PageDown] キーや [→] キーなどを何度も押すことで、シートを次々に切り替えることができる。また、シートの追加時はアクティブなシートの左側に追加される

―――――――――――――――| COLUMN |―――――――――――――――

(離れたシートに手早く移動したい)

離 れたシートに頻繁に移動しなければならないときは、ショートカットキーを使うメリットが減ってしまいます。そんな場合は、移動先のシート同士を一時的に近くへ移動させて作業し、あとでもとに戻してもいいでしょう。そのほか、目的のシートの適当なセルにリンクを貼り、クリックでジャンプできるようにする方法や、セルに名前をつけて「ジャンプ」ダイアログから移動する方法(13ページ参照)もあります。ただし、これらの機能にはショートカットキーが割り当てられていません。

10 通常以外のコピー方法で さらなる時短を図る

エクセルにはいろいろなコピー＆ペースト方法が
用意されています。ここでは、簡単かつ使いみちの
多い方法を紹介します。

すぐ左や上のセルをキー操作1つでコピー

　コピー＆ペーストは、エクセルに限らず、データ編集
の基本中の基本操作です。ショートカットキーは、[Ctrl]
＋[C]キーでコピー、[Ctrl]＋[V]キーでペーストです。
これは必ず覚えておかねばなりませんが、それだけで
済ませてはいけません。

　知っておくと意外と便利なのが、[Ctrl]＋[R]キー
と[Ctrl]＋[D]キーの2つです。前者は左のセルを、後
者は上のセルをそのままコピー＆ペーストできます。
複数のセルを一度に操作できるので、コピーしたいセ
ルが増えるほど有効なショートカットキーです。

　なお、コピー＆ペーストで右クリックを多用する人
も見かけますが、メニューから目的の操作を探し出す
にはかなり時間がかかります。時短を目指すなら、で

きるだけ避けましょう。

[Ctrl]＋[R]で左のセルを瞬時にコピー

貼り付け先のセル範囲を選択した状態で［Ctrl］＋［R］キーを押すと、左のセルがコピーされる

[Ctrl]＋[D]で上のセルを瞬時にコピー

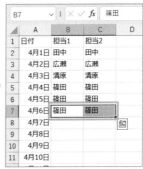

同様に貼り付け先のセル範囲を選択した状態で［Ctrl］＋［D］キーを押すと、上のセルがコピーされる

11 行の入れ替え・移動を簡単に実行するには

行や列に関する操作の中でも頻繁に発生し、操作としては単純なのに面倒な作業が行や列の入れ替えです。これだという手はありませんが、できるだけ省力化する手順を紹介します。

「カットした行の挿入」を利用する

エクセル中級者でもなかなか面倒だと感じる操作の1つに、行や列の入れ替えがあります。空行を作らずに移動する場合は、カットして移動先の行を右クリック→「カットした行の挿入」を選択します。単純な操作の割に手間がかかるため、エクセルでの行移動はなるべく避けたほうがいいといえます。

しかし、どうしても行の入れ替えが必要なら、[Shift]+[Space]キーで行ごと選択し、カットして「カットした行の挿入」にあたるショートカットキーを使います。また、列を入れ替えたい場合は、まず[Ctrl]+[Space]キーを押して列ごと選択します。あとは行の入れ替えと同じ手順で操作すれば、簡単に入れ替えられます。

切り取りたい行の任意のセルを選択

▲	A	B	C	D	E	F	G
1	**名前**	**会員種別**	**加入時期**	**累計購入金額**			
2	佐川壮太	スタンダード	2012年上期	37,854			
3	山崎重行	ゴールド	2013年上期	356,890			
4	佐々木尚子	シルバー	2015年下期	121,500			
5	内藤真美	スタンダード	2014年上期	29,800			
6	森田雅也	ゴールド	2020年上期	456,800			
7	野村沙織	ゴールド	2018年上期	552,100			
8	藤井誠	スタンダード	2017年下期	19,900			
9	朝比奈英二	シルバー	2012年上期	109,000			
10	長屋愛	ゴールド	2015年下期	389,700			
11							
12							
13							
14							
15							

ここでは例として、5行目を2行目へ移動する場合の手順を説明する。まず5行目の任意のセルを選択し、[Shift]＋[Space]キーを押す。行が選択されたら、[Ctrl]＋[X]キーを押す

行が切り取り状態になる

▲	A	B	C	D	E	F	G
1	**名前**	**会員種別**	**加入時期**	**累計購入金額**			
2	佐川壮太	スタンダード	2012年上期	37,854			
3	山崎重行	ゴールド	2013年上期	356,890			
4	佐々木尚子	シルバー	2015年下期	121,500			
5	内藤真美	スタンダード	2014年上期	29,800			
6	森田雅也	ゴールド	2020年上期	456,800			
7	野村沙織	ゴールド	2018年上期	552,100			
8	藤井誠	スタンダード	2017年下期	19,900			
9	朝比奈英二	シルバー	2012年上期	109,000			
10	長屋愛	ゴールド	2015年下期	389,700			
11							
12							
13							
14							
15							

行が切り取られ、行の周囲が点線で囲まれた状態になったことを確認しよう

移動先の行の任意のセルを選択

	A	B	C	D	E	F	G
1	**名前**	**会員種別**	**加入時期**	**累計購入金額**			
2	佐川壮太	スタンダード	2012年上期	37,854			
3	山崎重行	ゴールド	2013年上期	356,890			
4	佐々木尚子	シルバー	2015年下期	121,500			
5	内藤真美	スタンダード	2014年上期	29,800			
6	森田雅也	ゴールド	2020年上期	456,800			
7	野村沙織	ゴールド	2018年上期	552,100			
8	藤井誠	スタンダード	2017年下期	19,900			
9	朝比奈英二	シルバー	2012年上期	109,000			
10	長屋愛	ゴールド	2015年下期	389,700			
11							
12							
13							
14							
15							

移動先となる2行目の任意のセルを選択し、[Shift]+[Space]キーを押す。
行が選択状態になったら、[Ctrl]+[Shift]+[;](セミコロン)キーを押す

切り取った行が挿入された

	A	B	C	D	E	F	G
1	**名前**	**会員種別**	**加入時期**	**累計購入金額**			
2	内藤真美	スタンダード	2014年上期	29,800			
3	佐川壮太	スタンダード	2012年上期	37,854			
4	山崎重行	ゴールド	2013年上期	356,890			
5	佐々木尚子	シルバー	2015年下期	121,500			
6	森田雅也	ゴールド	2020年上期	456,800			
7	野村沙織	ゴールド	2018年上期	552,100			
8	藤井誠	スタンダード	2017年下期	19,900			
9	朝比奈英二	シルバー	2012年上期	109,000			
10	長屋愛	ゴールド	2015年下期	389,700			
11							
12							
13							
14							
15							

先ほど切り取った行が2行目に挿入された。なお、コピーした行も、同様の手順で挿入が可能だ

12 行や列の幅が異なる表を
同じシートに配置したい

まったく内容が異なる表を1つのシート上に配置すると、行の高さや列幅など細かい調整がしづらく感じるかもしれません。表を「リンクされた図」としてペーストしてみましょう。

表を「リンクされた図」として貼り付ける

　同じシート上に、行や列の幅が異なる表を複数配置したいとき、たいていの人はセルを細かく区切って結合し、好きなサイズのセルを新たに作ってしまいます。そのような方法で作られた表は、一見して美しく見えますが、セル項目を追加・削除しなければならなくなったときのことを考えると、大変面倒です。いったん作った表を絶対に編集しないのならいいのですが、変更する可能性があるなら、このような作り方をすべきではありません。

　代わりに使えるのが、表を「リンクされた図」として貼り付ける方法です。通常、コピー＆ペーストするともとの表を変更しても、貼り付けた表には何の変化も

ありませんが、「リンクされた図」として貼り付けると、もとの表を変更したときに瞬時に貼り付けた表も変更されます。貼り付け先では図として扱われるので、大きさも変更できます。なお、この方法で貼り付けた表は、後ろの罫線が透けて見えてしまいます。これが気になる場合は、もとの表でセルの背景色を白など透明以外に設定しておきましょう。

貼り付けたい表をコピーする

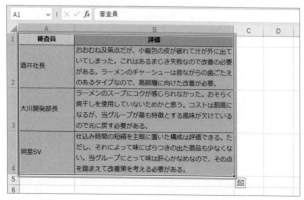

はじめに、別のシートに貼り付けたい表を選択してコピーする。なお、背景を透過させたくないときは、コピーする前に背景色を白など透明以外に設定しておこう

貼り付け方法を選択

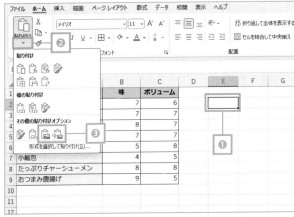

貼り付け先のシートを開き、表を貼り付けたい位置を選択する（❶）。「ホーム」タブの「貼り付け」グループにある「貼り付け」の「∨」をクリックし（❷）、「その他の貼り付けオプション」にある「図」または「リンクされた図」をクリックする（❸）

図として貼り付けられた

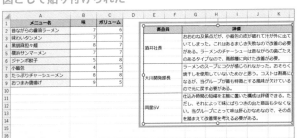

コピーした表が、このように図として貼り付けられた。このあと、必要に応じて貼り付けた表のサイズを変更しよう

13 オートフィルよりも簡単に関数をコピーする

関数を複数のセルへコピーする場合もオートフィルが使えますが、大量のセルをコピーしたい場合は大変です。そこで、もっと簡単かつ確実にコピーできる方法を覚えておきましょう。

対象のセル範囲を選択して一気に貼り付ける

「売上の集計表で、行ごとにSUM関数を使って合計金額を求めたい」というような場合、各行のセルにSUM関数を入力する必要があります。オートフィルでコピーすることもできますが、空行があったり、隣の列が空白セルだったりすると、オートフィルがうまく動作しません。だからといって、空行や空白を避けてコピーしていくのは非効率です。

このような場面では、関数を入力したいセルをすべて選択しておき、ショートカットキーでコピー＆ペーストするようにしましょう。「名前」ボックスで対象となるセル範囲の先頭から末尾へジャンプすれば、大量のセルも瞬時に選択することが可能です。

関数をコピーする

D2		✓ ✕ ✓	f_x	=SUM(A2:C2)			
	A	B	C	D	E	F	G
1	**商品A**	**商品B**	**商品C**	**合計**			
2	879,879	929,876	776,544	2,586,299			
3	786,298	678,222	885,678				
4							
5	654,987	564,768	776,998				
6							
7	556,554	765,568	876,432				
8							
9	891,223	776,229	679,223				
10	675,589	887,998	774,298				
11							
12							
13							

ここでは、D2 ～ D1001セルに同じ関数を入力したい場合を例に説明する。
まず、先頭となるD2セルにSUM関数を入力し、[Ctrl]＋[C]キーを押して
コピーする

最終行のセルを指定

D1001		✓ ✕ ✓	f_x	=SUM(A2:C2)			
	A	B	C	D	E	F	G
1	**商品A**	**商品B**	**商品C**	**合計**			
2	879,879	929,876	776,544	2,586,299			
3	786,298	678,222	885,678				
4							
5	654,987	564,768	776,998				
6							
7	556,554	765,568	876,432				
8							
9	891,223	776,229	679,223				
10	675,589	887,998	774,298				
11							
12							
13							

「名前」ボックスをクリックし、関数を貼り付けたい最終行のセル（ここでは
「D1001」）を入力して、[Shift]＋[Enter]キーを押す

範囲を確認して貼り付けを実行

992				
993	887,009	789,990	885,678	
994	567,890	756,456	864,356	
995	609,800	789,898	773,450	
996				
997	658,009	776,778	990,100	
998				
999	687,330	561,980	771,980	
1000	879,100	889,290	898,300	
1001	778,778	989,761	787,889	

⟨ ⟩　　Sheet1　　＋

コピー先を選択し、Enter キーを押すか、貼り付けを選択します。

1000行分のセル範囲が一括選択されるので、そのまま [Ctrl] + [V] キーを
押す

関数が貼り付けられる

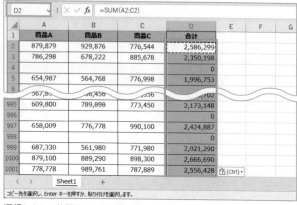

D2	∨ : × ✓ ƒx	=SUM(A2:C2)					
▲	A	B	C	D	E	F	G
1	商品A	商品B	商品C	合計			
2	879,879	929,876	776,544	2,586,299			
3	786,298	678,222	885,678	2,350,198			
4				0			
5	654,987	564,768	776,998	1,996,753			
6	567,85~	~6,456	~,556	~,702			
995	609,800	789,898	773,450	2,173,148			
996				0			
997	658,009	776,778	990,100	2,424,887			
998				0			
999	687,330	561,980	771,980	2,021,290			
1000	879,100	889,290	898,300	2,666,690			
1001	778,778	989,761	787,889	2,556,428	ⓒ (Ctrl) ▾		

⟨ ⟩　　Sheet1　　＋

コピー先を選択し、Enter キーを押すか、貼り付けを選択します。

選択したセル範囲すべてに関数が貼り付けられた。大量のセルに貼り付ける
場合は、オートフィルよりもはるかに簡単だ

14

1行おきに
行全体を削除するには

別のアプリで作成したデータをエクセルに読み込むと、1行おきに不要な行ができることがあります。いちいち行を選択して削除するより、ずっと手早くできる方法を知っておきましょう。

作業列を作って削除したい行に数値を入力

　不要な行や列がある場合、行全体または列全体を選択したあと、[Ctrl] + [-] キーを押すと削除できます。しかし、不要な行が飛び飛びにある場合は、この手順を繰り返し行わなければならなくなります。そのため、削除したい行が増えてくると、非常に効率がよくありません。

　楽なやり方はいくつかありますが、ここで紹介するのはやや裏技っぽいテクニックです。まず作業列を作り、その列の削除したい行に数値を入力し、セルを選択して行ごと削除します。なお、ここで紹介する方法以外には、作業セルに数値を入力してソートする方法や、テーブルを作って削除する方法があります。

数値を入力してオートフィル

	A	B	C	D	E	F	G
D2			1				

	A	B	C	D	E	F	G
1	氏名	所属	入社年度				
2				1		①	
3	山中洋一	法人営業部	2013				
4							
5	茅野和義	店舗開発部	2019			②	
6							
7	椎葉雄介	販売促進部	2015				
8							
9	橋本正弘	第二営業部	2018				
10							
11							
12							
13							

表の右側の空白列（ここではD列）で、削除したい先頭行のセル（ここでは D2）に「1」と入力し、そこを起点に上から2つのセル範囲を選択（①）。フィルハンドルを表の最終行までドラッグしてオートフィルを実行する（②）

入力状態を確認する

	A	B	C	D	E	F	G
D2			1				

	A	B	C	D	E	F	G
1	氏名	所属	入社年度				
2				1			
3	山中洋一	法人営業部	2013				
4				2			
5	茅野和義	店舗開発部	2019				
6				3			
7	椎葉雄介	販売促進部	2015				
8				4			
9	橋本正弘	第二営業部	2018				
10				5			
11							
12							
13							

オートフィルの結果、削除したい行にだけ数値が入力されたのを確認する。そのままの状態で、[F5]キーを押そう

セルの選択方法を設定

「ジャンプ」ダイアログが表示されるので、「セル選択」をクリック（①）。「選択オプション」ダイアログが表示されたら「定数」を選択し（②）、「OK」をクリックする（③）

選択できたら削除

削除対象の行にある数値のセルだけが選択された状態になったのを確認したら、[Ctrl]＋[-]キーを押す

削除対象を制定する

「削除」ダイアログが表示されるので、「行全体」を選択し（❶）、「OK」をクリックする（❷）

削除結果を確認する

	A	B	C	D	E	F	G
1	**氏名**	**所属**	**入社年度**				
2	山中洋一	法人営業部	2013				
3	茅野和義	店舗開発部	2019				
4	椎葉雄介	販売促進部	2015				
5	橋本正弘	第二営業部	2018				
6							
7							
8							
9							
10							
11							
12							
13							

これで1行おきに行が削除された。この手順を知っておけば、1000行でも2000行でも簡単に1行おきの削除ができる

　複数行おきに削除する際のやり方は同じです。2行おきに削除する場合、先頭行に「1」を入力し、そこを起点に上から3つのセル範囲を選択してオートフィルを実行します。あとは同様の操作を行います。

15 オートフィルより簡単に
規則的にセルを埋める

オートフィルは便利な機能ですが、万能ではありません。入力済みのセルから一定の規則に沿ってデータを取り出したいという場合は、「フラッシュフィル」を使いましょう。

フラッシュフィルで規則的なデータを自動入力

「フラッシュフィル」とは、セルに入力されたデータの規則性を検知し、その規則に沿って自動入力する機能です。「役職と氏名が入力されたセルから、役職だけを取り出して別のセルに入力したい」という場合を例に考えてみましょう。

役職と氏名の間がスペースなどで区切って入力されていれば、フラッシュフィルを利用して役職の部分だけを簡単に取り出せます。まず、もとのデータが入力されているセルの横に役職を入力するための列を作り、最初の行だけ手動で役職を入力します。この状態でフラッシュフィルを実行すると、「スペースの前の文字列だけを取り出して入力する」という規則性が検出され、

以降の行は自動的に入力してくれるのです。

　ただし、フラッシュフィルを使う場合はいくつか注意すべき点もあります。まず、自動入力するセルは、もとのデータが入力されているセルの隣の列である必要があります。また、データによっては規則性がうまく認識されず、誤った入力結果になってしまうことがあります。その場合は、パターンの異なるデータを2〜3件入力してから再試行してみましょう。

先頭のセルに対象の文字列を入力

	B2	✕ ✓ _fx_	代表取締役社長	

	A	B	C	D
1	**役職と氏名**	**役職**	**入社年度**	
2	代表取締役社長　桜井正幸	代表取締役社長	1990	
3	常務取締役　長谷川康夫		1993	
4	専務取締役　河野健司		1992	
5	営業本部長　奥田博		1989	
6	広報部長　岡本美代子		1995	
7	経理部長　橋本清美		1998	
8	商品開発部部長　佐々木真美		2001	
9	資材部長　東野康太		1990	
10	企画部長　佐藤博		1994	
11				
12				
13				
14				
15				

最初の行のセル（ここではB2）に役職名を入力し、そのセルを選択しておく

フラッシュフィルを実行

「データ」タブの「データツール」グループで「フラッシュフィル」をクリックする（❶）

データが自動的に入力される

	A	B	C	D
1	役職と氏名	役職	入社年度	
2	代表取締役社長　桜井正幸	代表取締役社長	1990	
3	常務取締役　長谷川康夫	常務取締役	1993	
4	専務取締役　河野健司	専務取締役	1992	
5	営業本部長　奥田博	営業本部長	1989	
6	広報部長　岡本美代子	広報部長	1995	
7	経理部長　橋本清美	経理部長	1998	
8	商品開発部部長　佐々木真美	商品開発部部長	2001	
9	資材部長　東野康太	資材部長	1990	
10	企画部長　佐藤博	企画部長	1994	
11				
12				
13				
14				
15				

B2 の数式バー：代表取締役社長

データの規則性が自動的に認識され、ほかのセルにも一括で入力される

16 横に長い表に簡単に入力したい

エクセルは縦方向へのスクロールは比較的簡単ですが、横方向は面倒です。そのため、横に長い表は入力に手間がかかってしまいます。そこで使いたいのがフォームです。

フォーム機能で入力する

　大きな表のあちこちに入力するセルが散らばっている場合、キーボードを使ってもアクティブセルを移動するのに手間がかかってしまいます。一定のセルに移動するだけなら、セルに名前を付けてジャンプするなどの方法もありますが、移動先が一定でない場合はうまくいきません。

　特に問題になるのが横に長い表ですが、フォームによる入力を使うと、入力したいセルへの移動が楽になることがあります。また、入力欄のすぐ左にラベルが表示されるので、何の値を入力しなければならないのかもわかりやすいといえます。

フォームを使えるように設定する

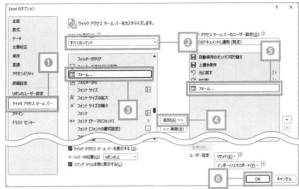

Backstageビューで「オプション」→「クイックアクセスツールバー」を開く（❶）。コマンドの選択で「すべてのコマンド」を選択する（❷）。左側のリストで「フォーム」を選択し（❸）、「追加」をクリック（❹）。右側のリストに「フォーム」が追加されたら（❺）、「OK」をクリックする（❻）

フォームを起動する

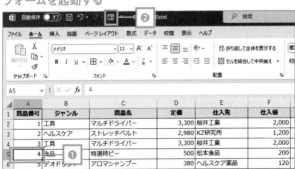

フォームを利用したい表の中にある任意のセルを選択し（❶）、クイックアクセスツールバーの「フォーム」アイコンをクリックする（❷）

フォームを使って入力する

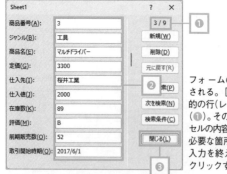

フォームの入力画面が表示される。[↑][↓]キーで目的の行（レコード）へ移動する（①）。その行に入力された各セルの内容が表示されるので、必要な箇所を変更する（②）。入力を終えたら「閉じる」をクリックする（③）

入力内容が反映される

	D	E	F	G	H	I	J
1	定価	仕入先	仕入値	在庫数	評価	前期販売数	取引開始時期
2	3,300	桜井工業	2,000	89	A	48	2017年6月
3	2,980	KZ研究所	1,200	87	B	50	2017年6月
4	3,300	桜井工業	2,000	89	B	52	2017年6月
5	300	松本食品	200	128	A	172	2020年4月
6	380	ヘルスケア薬品	120	190	A	179	2022年4月
7	380	ヘルスケア薬品	120	178	B	176	2022年4月
8	129,800	崎川電機	88,000	3	B	1	2015年4月
9	550	松本食品	250	92	A	87	2020年4月
10	12,800	リンゴ商会	6,800	32	B	17	2019年10月
11							
12							
13							

フォームで入力したデータが、もとの表に反映される。このように、横にスクロールしなくてもセルの内容を簡単に入力・編集できる

17 入力専用シートで 素早く入力する

公的機関などの書類には、A4用紙1枚に収まるように記入欄を詰め込んだものがよく見られます。そんな書類を作成する場合、印刷用と入力用でシートを分けると入力を効率化できます。

印刷用と入力用を分割する

　見栄えにこだわった書類で、見かけはいいけど入力すべき箇所が分散していて、入力しにくいファイルに出会ったことがあるかもしれません。そんな書類へ頻繁に入力・印刷しなければならないのであれば、入力用のシートと印刷用のシートを分けてしまうと効率的に作業を進められます。

　入力用のシートを作成したら、印刷用シートにある各項目を用意します。ここでのレイアウトは極力シンプルにしておき、書式設定も最低限にとどめておきます。そして、印刷用のシートから数式で入力用シートの値を参照するのです。

　なお、印刷用のシートには直接入力しないようにし

ておきましょう。シートをロックしておいても効果的です。入力用のシートのみ編集し、印刷用のシートに切り替えて印刷を実行するという流れを徹底しておけば、かなりの時短につながるはずです。

この手順のコツは入力用のシートをできるだけシンプルにすることです。入力不要の箇所があれば、入力用シートでは省いてもかまいません。

複雑な表の例

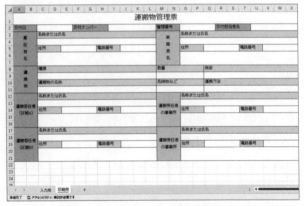

たとえば、公的機関に提出する表などは、仕様が複雑なものが多い。このような表を印刷用のフォーマットとして使っている場合は、別に入力用のシートを作成しておいたほうが効率よく入力できる

入力専用のシートを作成する

ブック内に新しいシートを作成し(**❶**)、印刷用シートに反映させたい項目を上から順に並べて入力する。ここでは列Aに項目名、列Bに各項目のデータを入力した(**❷**)

印刷用シートに数式を入力

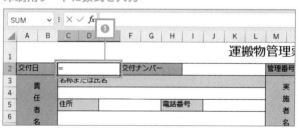

印刷用シートを開き、入力用シートから内容を反映させたいセル(ここでは「交付日」の右のセル)を選択して「=」を入力する(**❶**)。次に、[Ctrl]+[PageDown]または[PageUp]キーを押して、入力用シートに移動する

反映元のセルを選択

▲	A	B	C
1	交付日	2022年4月1日	
2	交付ナンバー	012345X	
3	管理番号	123-456	
4	交付担当者名	田中一郎	
5	責任者名／名称	エックス運送株式会社	
6	責任者名／郵便番号	100-0006	
7	責任者名／電話番号	03-8145-XXXX	
8	責任者名／住所	東京都千代田区有楽町3-X-X	
9	実施者名／名称	ワイカービング株式会社	
10	実施者名／郵便番号	330-0063	
11	実施者名／電話番号	047-605-XXXX	
12	実施者名／住所	埼玉県さいたま市浦和区高砂1-X	
13	運搬物／種類	業務用飼料	
14	運搬物／数量	10個	
15	運搬物／荷姿	ドラム缶	
16	運搬物／名称	業務用飼料	
17	運搬物／危険物など	化合物系廃棄物	
18	運搬物／運搬方法	埋立処分	
19	運搬受任者（区間A）／名称	岡本健作	
20	運搬受任者（区間A）／郵便番号	356-0033	
21	運搬受任者（区間A）／電話番号	0413-183-XXXX	

入力用シートに移動したら、反映元のデータのセル（ここではB1）をクリックする。そのまま [Ctrl] ＋ [PageDown] または [PageUp] キーを押して、再び印刷用シートに移動する

確認して入力を確定する

1				運搬物管理票
2	交付日	=入力用!B1	交付ナンバー	管理番号
3	責 任 者 名	名称または氏名		実
4				
5		住所	電話番号	施 者
6				
7				名
8	運 搬 物	種類		数量
9				
10		運搬物の名称		危険物な
11				
12		名称または氏名		

印刷用シートの反映先のセルに参照元の数式（ここでは「=入力用!B1」）が表示されていることを確認。問題なければ [Enter] キーを押して入力を確定させる

データが反映される

運搬物管理票			
交付日	2022年4月1日	交付ナンバー	管理番号
責任者名	名称または氏名		実施者名
	住所	電話番号	
運搬物	種類		数量
	運搬物の名称		危険物な
運搬委任者	名称または氏名		運搬受

これで入力用シートの「交付日」のデータが反映された

同じ要領で各項目のデータを反映させる

あとは、各項目のデータに関して同じ手順を繰り返していけばよい。セルを選択するのが面倒なら、数式をコピーして参照元のセルだけ書き換えても大丈夫だ

18 重複したデータがないか をチェックしたい

データベースを作成するとき、重要なのが重複データの排除です。同じデータが2つ以上含まれていると、集計結果が誤ったものになってしまうなど、いろいろな悪影響が出てしまいます。

「重複の削除」を利用する

エクセルで重複データを排除したいときは、「重複の削除」機能を利用すると手軽に重複を解消できます。ただし、いくつかの注意点があります。

まず、英数字の半角と全角は別の文字として扱われます。たとえば住所録の番地で全角数字を使うと、半角数字で入力したデータが存在しても、重複とはみなされません。また、文字列の途中に空白があるデータと空白がないデータは異なるデータとして扱われ、空白以外がまったく同じデータだとしても削除されません。ここに注意しないと、「重複しているデータがあるのに削除されない」ということが起きます。

また、重複だと判断された場合、どのデータが削除

されるかを事前に知ることはできず、いきなり削除されてしまいます。そのため、この操作をする場合は事前にブックをバックアップすることが必須です。

なお、空白を削除するには検索・置換機能を使うより、TRIM関数を利用するほうが手早くできます。また、全角数字を半角にするには、ASC関数を使う方法もあります。ただし、ASC関数はカタカナも半角にするので、カタカナの含まれたデータなら逆に全角に変換するJIS関数を使ったほうが確実でしょう。

「重複の削除」を開く

重複データを削除したい表を、見出し行も含めて選択する（❶）。次に「データ」タブの「データツール」グループで「重複の削除」をクリックする（❷）

ダイアログで削除を実行

「重複の削除」ダイアログが表示されるので、そのまま「OK」をクリックする

削除を確認して完了

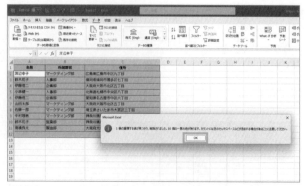

重複個数と残りの値の個数が表示される。「OK」をクリックして完了しよう

　Excel 2016以前の「重複の削除」機能には、重複していないデータを削除するなどのバグがあります。そのため、Excel 2016以前では、並べ替え機能やCOUNTIF関数などで重複を探すようにしましょう。

19 セル幅やフォントなど値以外をコピーしたい

複数のセルに同じ書式を適用したいとき、いちいち設定していては手間がかかってしまいます。そんなときはコピーしたセルから書式を貼り付けると、表の作成を大幅に省力化できます。

コピーしたセルから書式だけを貼り付ける

　エクセルでセルをコピーする場合、そのままペーストすると値や書式などをすべて貼り付けてしまいます。しかし、「形式を選択して貼り付け」ダイアログを利用すれば、特定の要素だけを選んで貼り付けられて非常に便利です。たとえば、罫線やフォントといったデザイン的な要素だけを適用したい場合は、「書式」を選択します。このほか、「列幅」だけを貼り付けたり、数式は無視して値だけを貼り付けたりすることも可能です。

　「形式を選択して貼り付け」ダイアログは、リボンや右クリックから開くこともできますが、ショートカットキーを使えば時短につながります。

表をコピーして貼り付けを開始

ここでは、表の書式と列の幅だけをコピーして貼り付ける手順を紹介する。はじめに、表を選択してコピーする（❶）。次に貼り付けたい位置のセルを選択し（❷）、[Ctrl]＋[Alt]＋[V]キーを押す

「書式」を貼り付ける

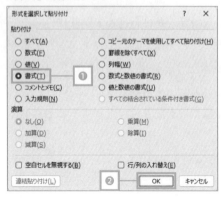

「形式を選択して貼り付け」ダイアログが表示されるので、「書式」を選択し（❶）、「OK」をクリックする（❷）

貼り付けを確認して再度ダイアログを開く

E1	⌄ : × ✓ fx						
◢	A	B	C	D	E	F	G
1	営業エリア	担当者	達成度				
2	品川・大崎エリア	高城	95.80%				
3	城南エリア	大井	82.50%				
4	世田谷・杉並エリア	村岡	77.60%				
5	吉祥寺・三鷹エリア	山本	89.30%				
6	浅草エリア	本宮	82.10%				
7	八重洲エリア	岡本	88.30%				
8	六本木・乃木坂エリア	柏木	92.10%				
9	原宿エリア	田淵	90.50%				
10	新宿・代々木エリア	矢島	97.50%				
11							
12							
13							
14							

コピーした表の書式だけが貼り付けられた。次に列幅を貼り付けるので、再度[Ctrl]＋[Alt]＋[V]キーを押す

「列幅」を指定して貼り付け

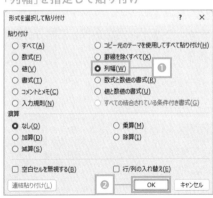

「形式を選択して貼り付け」ダイアログが表示されるので「列幅」を選択し（❶）、「OK」をクリックする（❷）

「列幅」が反映されたことを確認

	A	B	C	D	
1	営業エリア	担当者	達成度		
2	品川・大崎エリア	高城	95.80%		
3	城南エリア	大井	82.50%		
4	世田谷・杉並エリア	村岡	77.60%		
5	吉祥寺・三鷹エリア	山本	89.30%		
6	浅草エリア	本宮	82.10%		
7	八重洲エリア	岡本	88.30%		
8	六本木・乃木坂エリア	柏木	92.10%		
9	原宿エリア	田淵	90.50%		
10	新宿・代々木エリア	矢島	97.50%		
11					

このように列幅が反映された。この手順なら、もとの表から値以外の要素が
スムーズにコピーできるはずだ

　コピーしたセルから書式だけを貼り付けるには、「貼
り付けのオプション」を利用する方法もあります。「貼
り付けのオプション」を素早く実行するには、ショート
カットキーを使いましょう。ただし、この方法で貼り付
けられない要素については、「形式を選択して貼り付け」
を使う必要があります。

「貼り付けのオプション」を利用する

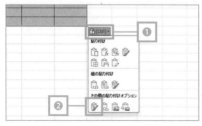

セルに貼り付けたら、右
下に表示されるボタン
をクリックするか、[Ctrl]
キーを押す（❶）。すると、
貼り付けのメニューが表
示される。たとえば書式
を貼り付けたい場合は
「書式設定」を選択する
（❷）

20 姓名を分離した データにしたい

データはなるべく分離して作成するのが基本です。しかし、扱うデータが結合されていたとしても、「区切り位置指定ウィザード」を使えば入力し直す必要はありません。

「区切り位置指定ウィザード」を使う

　　データの結合は非常に簡単ですが、分離はなかなか難しいため、データはなるべく分離した状態で作るべきです。しかし、結合されたデータの処理を実行しなければならないこともあるでしょう。

　　ここでは、姓名が1つのセルに入力されているデータを姓と名に分割する方法を紹介します。注意すべきは、姓と名の間に空白が含まれている場合に限ることです。空白なしで姓名が入力されているデータでは、残念ながら目で見て確認しながら分離するしかありません。なお、この方法は分割対象の文字列が姓名でなくても、2つ以上のデータが空白で区切られていれば使えます。

「区切り位置指定ウィザード」を表示

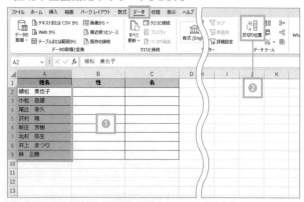

姓名が入力されているセル範囲(ここではA2 〜 A9)を選択し(❶)、「データ」タブの「データツール」グループで「区切り位置」をクリックする(❷)

「元のデータ形式」を選択する

「区切り位置指定ウィザード」が表示されるので、「コンマやタブなどの〜」を選択し(❶)、「次へ」をクリックする(❷)

フィールドの区切り文字を指定

次の画面が表示される。「区切り文字」で「スペース」のみにチェックを付け（●）、「次へ」をクリックする（❷）

分離したデータの表示位置を指定

「表示先」欄に姓を表示したい最初のセル位置（ここではB2）を絶対参照（「=$B$2」）で指定する（●）。入力したら、「完了」をクリックする（❷）

確認ダイアログが表示される

「既にデータがありますが、置き換えますか？」という確認ダイアログが表示されるので、「OK」をクリックする

分離されたデータが表示される

	A	B	C	D	E	F
1	姓名	姓	名			
2	植松 美也子	植松	美也子			
3	小松 忠雄	小松	忠雄			
4	尾辻 幸久	尾辻	幸久			
5	沢村 隆	沢村	隆			
6	新庄 芳樹	新庄	芳樹			
7	北村 弥生	北村	弥生			
8	井上 まつり	井上	まつり			
9	林 正勝	林	正勝			
10						
11						

姓と名に分離されたデータが表示される。姓と名で処理を繰り返す手間もかからないので、関数やフラッシュフィルよりも手軽に使えるのがメリットだ

21 配布するブックで 一部のセルをロックする

別のユーザーと共同作業するとき、「勝手に変更されたくない」という箇所がある場合も多いでしょう。そんなときは、特定のセル以外は編集できないようにシートを保護しておきます。

指定したセル範囲をロックしてシートを保護

エクセルで共同作業するときに注意すべきなのが、ほかのユーザーに余計なセルまで編集されないようにすることです。たとえ悪意はなくても、操作ミスで誤入力やデータの削除という危険性が存在します。これを防ぐには、特定のセル以外は編集できないように「セルの保護機能」を使います。

たとえば「売上の金額を別の担当者に入力してもらいたいが、すでに入力されている数値は変更されると困る」という場合、入力先のセルだけをロック解除しておき、そのあとでシートの保護を有効にするという手順で設定するとよいでしょう。

編集可能にするセル範囲を選択

B7	✓ : × ✓ *fx*							
▲	A	B	C	D	E	F	G	H	I
1	月度	間宮	山中	及川				
2	1月	776,890	879,110	790,290				
3	2月	656,890	719,890	772,870				
4	3月	828,900	654,320	698,780				
5	4月	786,380	738,790	810,900				
6	5月	882,900	789,900	828,900				
7	6月							
8	7月							
9	8月							
10								
11								
12								
13								

はじめに、編集を許可するセル範囲の設定から行う。編集可能にするセル範囲を選択し、[Ctrl]+[1]キーを押す

ロックをオフにする

「セルの書式設定」ダイアログが表示されるので、「保護」タブを開く(❶)。「ロック」のチェックを外したら(❷)、「OK」をクリックする(❸)

シートの保護を設定する

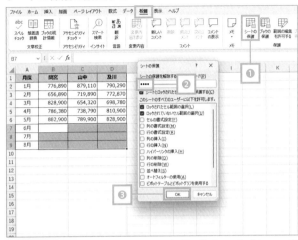

次にシートの保護を設定する。「校閲」タブの[保護]グループで「シートの保護」をクリックする（❶）。「シートの保護」ダイアログが表示されるので、解除用の任意のパスワードを入力し（❷）、「OK」をクリック（❸）。このあと、確認画面が表示されたら再度パスワードを入力する

保護対象のセルは編集できなくなる

これで許可したセル範囲以外はロックがかけられた。保護されたセルを編集しようとすると（❶）、警告が表示されて変更できなくなる（❷）

─┤ COLUMN ├─

URLにリンクを貼りたくない

エ クセルでURLやメールアドレスを入力すると、ハイパーリンクが自動的に設定されてしまいます。この設定を変更して、ハイパーリンクを自動的に設定されないようにします。

Backstageビューで「オプション」をクリックして「Excelのオプション」ダイアログを表示したら、「文章校正」（❶）→「オートコレクトのオプション」をクリックする（❷）

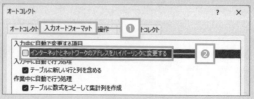

「オートコレクト」ダイアログが表示されるので、「入力オートフォーマット」タブを開き（❶）、「インターネットとネットワークのアドレスをハイパーリンクに変更する」のチェックを外す（❷）

第 **2** 章

書式設定を活用して 読みやすい表を作る

意外に思うかもしれませんが、エクセルの時短で外せないのが書式設定です。特に、条件付き書式と表示形式は、エクセル作業の効率化になくてはならないものです。条件付き書式を使わなくても、すぐに業務に支障が出てくるとは限りません。しかし、時短という観点から見れば、欠かせない機能なのです。特定の条件に合ったセルの文字色を変更したいとき、いちいち目で見て判断して操作していたのでは、時間がかかってしまうだけでなく、見落としも増えてしまいます。また、表示形式は計算を楽にするために重要な機能です。分数や時刻の計算で威力を発揮します。うまく計算できないため、単位を省略して計算していたり、計算と表示を別のセルで行っていたりするなら、表示形式の工夫で一気に作業が楽になるはずです。

01 表の見出しを常に表示しておく

大きな表を作るとき、エクセル初心者か中級者かを問わず、必ず使うテクニックが見出しの固定です。サクッとできるようにしておきましょう。

「ウィンドウ枠の固定」で見出しを表示

見やすい表を作るためのコツはたくさんありますが、まず最初に覚えておくべきなのは「ウィンドウ枠の固定」です。大きな表だと、スクロールしたときに見出しが見えなくなって、何の値なのかがわからなくなってしまいます。そんなときのために、行や列の見出しを固定し、常に表示させておくわけです。

見出しを固定する

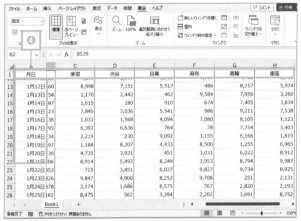

見出しを固定したい行のすぐ下、かつ固定したい列のすぐ右にあるセルを選択する（❶）。「表示」タブの「ウィンドウ」グループで「ウィンドウ枠の固定」をクリックし（❷）、「ウィンドウ枠の固定」を選択する（❸）。行と列が見出しとして固定され、常に表示されるようになる（❹）

　先頭行または先頭列だけを固定する場合は、「表示タブ」の「ウィンドウ」グループで「ウィンドウ枠の固定」をクリックし、「先頭行の固定」または「先頭列の固定」を選択します。固定を解除したい場合は、「ウィンドウ枠の固定」→「ウィンドウ枠固定の解除」をクリックします。

02 セルの行の高さは まとめて調整する

セルに長い文字列を入力する際、「折り返して全体を表示する」機能は必須です。このときセルの高さを調整するには行を選択してセルの境界をダブルクリックします。しかし、修正箇所が多いと大変です。

複数行を選択してダブルクリックでOK！

　セルの高さを調整する場合、数箇所程度であれば手作業でもいいでしょうが、数十行、数百行も調整しなければならない場合は大変です。そんなときは、複数の行を選択して、適当な行のセルの境界にマウスポインターを合わせてダブルクリックします。ダブルクリックする場所は、必ずしも選択した行の末尾でなくてもいいことを知っておくと便利です。

文字列が途中まで表示されている

❷	A	B	C
1	商品名	説明	
2	リンゴ	中心に蜜がタップリ詰まっ	
3,4	ミカン	ほのかに酸味を感じる甘さ	
5			❶

高さを調整したい行をすべて選択する（❶）。境界にマウスポインターを合わせ、形が変わったらダブルクリックする（❷）

行の高さが調整される

	A	B	C	D	E
1	商品名	説明			
2	リンゴ	中心に蜜がタップリ詰まったとても甘いリンゴです。			
3	ミカン	ほのかに酸味を感じる甘さとのバランスがとてもよいミカンです。			
4					

選択した行が、それぞれ適切な高さに調整される

　セル内で文字を折り返す設定にしているとき、列の幅を整える操作は正しく動作しません。

列幅は同じ方法で調整できない

列を選択して境界をダブルクリックしても（❶）、列の幅は変わらない。なお、セル内で文字を折り返す設定でなければ、文字がすべて表示される幅に調整される

085

03 お金の計算時に単位の「円」は入力厳禁！

数値に付ける単位は、ないとわかりづらく、あると邪魔になる厄介者です。どうすれば、邪魔にならないように表示できるでしょうか。

「セルの書式設定」で単位を表示する

お金の計算をする際、わかりやすいように金額の後ろに「円」を付けたくなるかもしれません。特に、数量などお金以外の数字と並んでいるときは、単位を付けたくなるでしょう。しかし、単位を付けて入力してしまうと、数式で計算することができなくなります。

単位を表示しつつ、計算も行いたい場合は、表示形式を使って単位を表示するようにしましょう。表示形式を変更すると、セルの値は数値のまま、「○○円」と表示されるようになります。また、数値なので、そのまま計算も可能です。もしセルに単位の「円」まで含めて「○○円」と入力してしまうと、計算時にエラーになってしまいます。

「セルの書式設定」ダイアログを表示する

	A	B	C	D	E
1	国名	4月	5月	6月	
2	インドネシア	7348000	4748000	5869000	
3	シンガポール	3575000	8435000	7906000	
4	タイ	3025000	5630000	8977000	
5	フィリピン	5083000	9448000	7994000	
6	マレーシア	3738000	5995000	5338000	
7	カンボジア	7668000	5523000	9159000	
8					
9					
10		❶			

「円」を付けたい数値が入力されたセル範囲を選択し（❶）、[Ctrl]＋[1]キーを押す

値に「円」を付けるための設定

「セルの書式設定」ダイアログが表示されたら、「表示形式」タブの「分類」で「ユーザー定義」を選択し（❶）、「種類」に「#,###"円"」と入力する（❷）

セル範囲に表示形式が反映される

	A	B	C	D	E
1	国名	4月	5月	6月	
2	インドネシア	7,348,000円	4,748,000円	5,869,000円	
3	シンガポール	3,575,000円	8,435,000円	7,906,000円	
4	タイ	3,025,000円	5,630,000円	8,977,000円	
5	フィリピン	5,083,000円	9,448,000円	7,994,000円	
6	マレーシア	3,738,000円	5,995,000円	5,338,000円	
7	カンボジア	7,668,000円	5,523,000円	9,159,000円	
8					

D2 ✓ : × ✓ fx 5869000 ── ❷

❶

セル内の値の後ろに「円」が表示されるようになる（❶）。実際に入力されて
いるのは数値だけなので、数式バーには値のみが表示される（❷）。この状態
なら数式による計算が可能だ

──┤ COLUMN ├──

（ リボンから通貨などの書式を設定 ）

「ホ」ーム」タブの「数値」グループにあるドロップダウンリストを使って、通貨などの表示形式を設定することもできます。ただし、この方法では選択できる形式が少なく、詳細な設定はできないので、形式を細かく指定したい場合は「セルの書式設定」ダイアログを使いましょう。

❶クリック

❷形式を選択

04 郵便番号の区切り「−」は 入力してはならない

郵便番号や電話番号は途中にハイフンを入れることが少なくありません。ハイフンなしのデータしかない場合、手作業で入力せずに済ませるには、どうしたらよいでしょうか。

表示形式を変更してハイフンを表示する

郵便番号の前半3桁と後半4桁の間にハイフンを表示したいとき、一番の"悪手"は手作業でハイフンを入力することです。セルの値をいちいち修正していると、時間がかかってしまいます。楽なのは関数で入力する方法ですが、いったんハイフンを入力してしまうと、今度はハイフン不要の場面でハイフンを削除する関数を作るなどの手順が必要になります。

最もシンプルで強力な方法は、ハイフンなしの郵便番号を表示形式でハイフンありに見せかけることです。郵便番号なら、あらかじめ用意されている表示形式の中から選べるので、面倒なカスタマイズなしで7桁の数字を3桁＋ハイフン＋4桁として表示できます。

セルを選択して書式設定を開始

B2	✓ : × ✓ fx	2696854			
	A	B	C	D	E
1	氏名	郵便番号	住所		
2	石 ❶	2696854	千葉県船橋市西船3-4-7		
3	若林　隆	8801651	宮崎県宮崎市橘通西1-3-11		
4	宮下　恵	1619393	東京都江戸川区平井1-2-9エスプリ303		
5	小川　清志	4926623	愛知県碧南市緑町3-2-10		
6	秋谷　弘子	5034443	岐阜県岐阜市瑞雲町2-1-4		
7	高木　美穂子	3503550	埼玉県三郷市新和3-4-22カサベラ410		
8	大場　森	1736793	東京都目黒区目黒本町4-3-5		
9	持田　勇司	2966852	千葉県市川市曽谷1-1-11		
10	上山　ひろ美	1670575	東京都江東区森下4-1-3		
11	森　圭	2853169	千葉県市川市大野町1-2-703		
12					

郵便番号が入力されたセル範囲を選択し（❶）、[Ctrl]＋[1]キーを押す

表示形式を「郵便番号」に設定

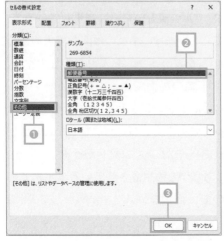

「セルの書式設定」ダイアログが表示されたら、「表示形式」タブの「分類」で「その他」を選択し（❶）、「種類」で「郵便番号」を選択する（❷）。選択できたら、「OK」をクリックする（❸）

090

郵便番号がハイフン区切りになる

B2		:	× ✓	fx	2696854	②	
⊿	A		B		C	D	E
1	氏名		郵便番号		住所		
2	石井 ①		269-6854		千葉県船橋市西船3-4-7		
3	若林　一		880-1651		宮崎県宮崎市橘通西1-3-11		
4	宮下　恵		161-9393		東京都江戸川区平井1-2-9エスプリ303		
5	小川　清志		492-6623		愛知県碧南市緑町3-2-10		
6	秋谷　弘子		503-4443		岐阜県岐阜市瑞雲町2-1-4		
7	高木　美穂子		350-3550		埼玉県三郷市新和3-4-22カサベラ410		
8	大場　森		173-6793		東京都目黒区目黒本町4-3-5		
9	持田　勇司		296-6852		千葉県市川市曽谷1-1-11		

選択したセル範囲に表示形式が設定され、郵便番号がハイフンで区切った状態で表示される（①）。セルを選択して数式バーを確認すると、実際にはハイフンが入力されていないことがわかる（②）。あとでハイフンが不要になった場合は、セルの表示形式を変更するだけで簡単にもとに戻せる

　セルの表示形式がデフォルトの「標準」のままだと、北海道や東北のように「0」から始まる郵便番号を入力すると、最初の「0」が表示されません。これは入力した値を数値として認識するからです。

　しかし、ここで説明したように表示形式を「郵便番号」に変更すれば、最初の「0」も表示されるようになります。もし海外の郵便番号を入力したいなら、「セルの書式設定」ダイアログで「表示形式」タブの「分類」で「ユーザー定義」を選択し、「#####-####」（米国の場合）などと入力します。

05 セルの背景色を直接設定してはいけない

セルを目立たせたいときに、セルの背景色を目立つ色に設定したいケースは多いでしょう。通常は「塗りつぶしの色」でいちいち設定したくなりますが、それは非常に非効率的なやり方です。

できるだけ条件付き書式を利用する

「このセルを目立たせたい」と思ったとき、セルの背景色を設定するのが、最も効果的だと思う人は多いでしょう。大半の人は「ホーム」タブの「塗りつぶしの色」で設定するはずです。この方法は数箇所なら問題ありませんが、多くなれば大変面倒です。しかも、その色を変えたくなったとき、背景色を変更したセルの数が多いと、手間も増えてしまいます。

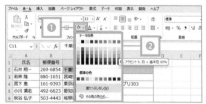

通常は、背景色を変更したいセルを選択してから、「塗りつぶしの色」をクリックして（❶）、色を選択する（❷）。そのため、先にセルを選択する必要がある

しかし「条件付き書式」なら、あとから色を変更するのも一発です。もし特定の数値以上の値が入ったセルや、特定の文字列を含むセルに背景色を設定したいなら、条件付き書式で手間を減らせます。書式を適用するための条件は細かく指定でき、背景色のほかにフォントや罫線などを変えることもできます。また、条件付き書式の設定後にセルの数値や文字列を変更した場合、指定したルールに沿って自動的に書式が変更されるのもメリットです。

新しいルールの作成を開始

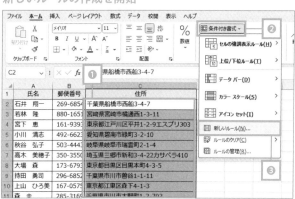

ここでは例として、列Cの「住所」の都道府県名に応じた背景色を設定してみよう。まず、背景色を付けたい範囲を選択する（❶）。「ホーム」タブの「スタイル」グループで「条件付き書式」をクリックし（❷）、「新しいルール」をクリックする（❸）

書式の適用条件を指定する

「新しい書式ルール」ダイアログが表示される。ルールの種類として「指定の値を含むセルだけを書式設定」を選択し（❶）、書式を適用する値の条件を指定する。ここでは「特定の文字列」「次の値で始まる」を選択し、文字列を入力した（❷）。次に、「書式」をクリックする（❸）

背景色を設定する

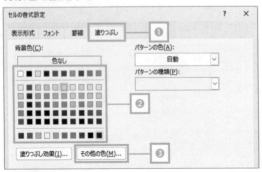

「セルの書式設定」ダイアログが表示されたら「塗りつぶし」タブを開き（❶）、背景色を選択する（❷）。一覧にない色を使いたい場合は「その他の色」をクリックして設定しよう（❸）

ルールに沿って書式が適用される

	A	B	C	D	E
1	氏名	郵便番号	住所		
2	石井 翔一	269-6854	千葉県船橋市西船3-4-7		
3	若林 隆	880-1651	宮崎県宮崎市橘通西1-3-11		
4	宮下 恵	161-9393	東京都江戸川区平井1-2-9エスプリ303		
5	小川 清志	492-6623	愛知県碧南市緑町3-2-10		
6	秋谷 弘子	503-4443	岐阜県岐阜市瑞雲町2-1-4		
7	高木 美穂子	350-3550	埼玉県三郷市新和3-4-22カサベラ410		
8	大場 森	173-6793	東京都目黒区目黒本町4-3-5		
9	持田 勇司	296-6852	千葉県市川市曽谷1-1-11		
10	上山 ひろ美	167-0575	東京都江東区森下4-1-3		
11	森 圭	285-3169	千葉県市川市大野町1-2-703		

同様の手順を繰り返して、別の文字列にも背景色を設定する。完了すると、ルールにしたがって各セルに書式が適用され、見分けやすくなった

　セル範囲を選択した状態で、「ホーム」タブの「条件付き書式」→「ルールの管理」を選択すると、その範囲に設定されている条件付き書式の一覧を確認できます。設定済みのルールや書式を変更したり、不要になったルールを削除したりすることも可能です。

どんな条件付き書式のルールが設定されているかが表示される。ルールは上から順番に適用されるが、複数のルールに当てはまるセルは上にあるルールが優先される

06 セルの背景色や文字色を一括して変更したい

自分で作るブックなら、条件付き書式やセルのスタイルで書式を設定すればよいのですが、すでに設定済みのブックを渡されたときは、どうすればいいでしょうか。

検索・置換機能で変更する

前節では条件付き書式をなるべく使うべきだと述べました。しかし、別の人からもらったブックで、条件付き書式を使わずにセルの背景色を設定してあった場合、一括して背景色を変更したいときはどうすればいいのでしょうか。

いちいちセルを選択して変更するのは大変な時間の無駄です。エクセルには書式を検索・置換する機能が搭載されているので、検索にヒットしたセルに別の書式を適用すれば、背景色を一瞬で変更できます。

とはいえ、この方法は設定している背景色の数だけ操作する必要があります。たとえば使われている背景色がグレーだけで、それをすべてイエローに変更した

いなら簡単です。

しかし、10色の背景色をすべて別の色に変更すると
なると、どうしても作業の手間がかかってしまい、か
なり手間がかかります。Excel VBAを使うと若干楽に
なりますが、そういう事態に陥らないように最初から
背景色や文字色の設定には注意しましょう。

置換のオプションを開く

[Ctrl]＋[H]キー
を押すと、「検索
と置換」ダイアロ
グの「置換」タブ
が開くので、「オ
プション」をクリッ
クする（❶）

変更対象の書式を指定する

「検索する文字列」の右にある「書式」の「∨」をクリックし（❶）、「セルから
書式を選択」を選ぶ（❷）。次に、書式を変更したいセルをクリックする（❸）

変更後の書式を設定する

```
検索と置換                                           —    □    ×

検索(D)   置換(P)

検索する文字列(N): [          ▽]  プレビュー*  書式(M)... ▾

置換後の文字列(E): [          ▽]  プレビュー*  書式(M)... ▾

検索場所(H): シート ▽   □ 大文字と小文字を区別する(C)
検索方向(S): 行   ▽   □ セル内容が完全に同一であるものを検索する(O)
検索対象(L): 数式  ▽   □ 半角と全角を区別する(B)            ❶
                                           オプション(T) <<

  ❷   すべて置換(A)   置換(R)   すべて検索(I)   次を検索(F)   閉じる
```

選択したセルから書式が読み込まれ、プレビューが表示される。次に、「置換後の文字列」の右にある「書式」をクリックして新しい書式を設定し(❶)、「すべて置換」をクリックする(❷)

書式が一括で置換される

▲	A	B	C	D	E	F
1		青木	伊藤	上野	江田	小川
2	第1回	○	○	△	×	×
3	第2回	×	×	○	△	×
4	第3回	○	△	△	△	△
5	第4回	○	○	○	○	○
6	第5回	△	○	×	○	○
7	第6回	×	×	○	○	×
8	第7回	○	△	△	○	○
9	第8回	○	△	○	○	×
10						
11						
12						

指定した書式のセルがシート全体から検索され、一括で新しい書式に変更される

07 表示形式の「#,##0」と「#,###」はどう違う？

セルの表示形式の「ユーザー定義」では記述に使用する記号の意味をしっかり把握していないと、意図しない表示になることがあります。特に「#」と「0」は、設定時に間違いやすいので要注意です。

数値が「1」未満の場合には表示が異なる

　「#,##0」と「#,###」は、どちらも数値の小数点以下を四捨五入し、カンマ区切りにして表示したいときに使います。しかし、末尾を「0」にするか「#」にするかで、数値によっては表示が変わります。

　末尾の「0」には、「その桁に値が存在しない場合、0を返す」という意味があります。表示形式が「#,###」の場合、1の位に値がない、つまり数値が「1」未満のときは、セル内に何も表示されません。一方、表示形式が「#,##0」の場合は、1の位に値がなければ「0」と表示されるのです。

見積書や請求書など、金額が存在しないセルに「0」が表示されると見栄えが悪い場合は「#,###」、売上の集計などで明示的に「0」であることを示したい場合は「#,##0」というように使い分けるとよいでしょう。

　同様に、小数点以下の桁数を指定するときも「#.##0」と「#.###」では表示が変わるので、ぜひ覚えておきましょう。

「0」を非表示にしたいなら「#,###」

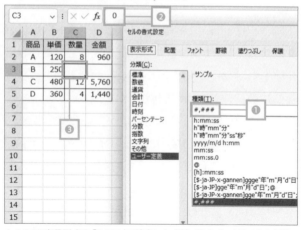

セルC3の表示形式を「#,###」に設定した（❶）。数式バーを見ると、実際の値は「0」だとわかるが（❷）、セルには何も表示されない（❸）。「0」と表示させたい場合は「#,##0」に設定しよう

08 セル結合という機能は忘れよう

セル結合は大変便利なうえに表の見栄えがよくなるので、常用している人も多いでしょう。しかし、実はいろいろなエラーを引き起こす原因なのです。

いろいろな機能が使えなくなってしまう

エクセルを少しでも使ったことがあれば、セル結合を使ったことがない人はいないでしょう。見やすい表を作るには必須だと思われがちですが、頻繁に使っていると、いろいろな場面で不都合が生じます。

行や列の選択が不便になる

結合したセルがある場合、2行目だけを選択しようとしても（❶）、複数の行や列が選択されてしまう（❷）

データの並べ替えを実行したいとき、並べ替え対象の範囲に結合したセルがあると、エラーが表示されて操作できません。

　また、セル結合していない行をセル結合した行に移動しようとしたとき、セル結合が解除されて表の見栄えが崩れてしまうことがあります。さらに、セル結合した行を切り取って、ほかの行に貼り付けることはできません。切り取ろうとすると、エラーが表示されます。

行を追加するとセル結合が解除される

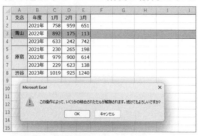

セル結合されていない行をセル結合された部分に挿入しようとすると、「いくつかの結合されたセルが解除されます」というメッセージが表示される。「OK」をクリックすると、そのまま操作を続行できるが、表示は崩れてしまう

セル結合した部分は移動できない

セル結合した部分を含む行を選択すると、「この操作は結合したセルには行えません」というエラーが表示されてしまう

フィルターで正しく抽出できない

フィルターを有効にして行見出しの「▼」をクリック（❶）。抽出したい項目だけにチェックを付け（❷）、「OK」をクリックする。本来抽出されるデータがすべて表示されず、先頭行のデータのみ抽出されてしまう（❸）

　このように、さまざまなエラーの原因になるため、セル結合という機能はなるべく利用せず、利用する場合はセル編集時にエラーが生じやすいことをあらかじめ理解しておく必要があります。

09 勤務時間を足して正しい時間を得るには

時間の合計などを求めるとき、正しい計算結果が得られないことがよくあります。原因としてまず考えられるのが、計算結果を表示するセルの書式が適切に設定されていないというケースです。

24時間を超える場合は表示形式の見直しを

エクセルでは、「8:30」などと入力すると自動的に時刻として認識され、加減などの計算を行うことも可能です。たとえば「終業時刻から始業時刻を引き、さらに休憩時間を引く」という計算をすれば、勤務時間を求めることができます。

ただし、計算結果が24時間（1日）を超えた場合、セルの表示形式が「時刻」になっていると、日数を除いた部分だけが「h:mm:ss」の形式で表示されます（hは時間、mmは分、ssは秒）。そのため、正しい計算結果を把握できません。このような場合は、セルの書式設定を変更し、表示形式を「[h]:mm」にしましょう。[h]は24時間を超えた時間を日数に換算せず、そのまま表示するた

めの形式です。こうすれば、1か月分の勤務時間を合計して「○時間」という表記にしたいときも、正しい結果が得られます。

時間を正しく表示できる形式に変更

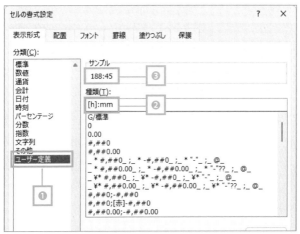

「セルの書式設定」ダイアログの「表示形式」タブを開き、「分類」で「ユーザー定義」を選択して（❶）、「種類」に「[h]:mm」と入力する（❷）。これで、24時間を超える場合も正しい値が表示されるようになる（❸）

同様にして、「○分」という表記にしたい場合は「種類」に「[m]」、「○秒」にしたい場合は「[s]」と入力します。

10 縦横に長い表の見通しをよくするには

大きくて全体が1画面に収まらない表は、スクロールしないと端まで見ることができません。そこで、不要なときは一部の行や列を折りたたんで、見やすく表示できるようにしましょう。

行や列をグループ化して折りたたむ

エクセルには、行や列を一時的に「非表示」にする機能があります。行または列を選択して右クリックし、「非表示」を選択するだけで簡単に実行できますが、この方法はあまりおすすめできません。非表示にした行や列があとから見るとわかりにくく、再表示の操作がやや面倒です。

そこで、もっと便利な方法として「グループ化」の機能を使ってみましょう。複数の行または列をグループ化すると、「-」ボタンが表示され、クリックすると折りたたむことができます。再度表示したいときは、「+」ボタンをクリックすれば簡単に展開できます。グループ化した箇所がひと目でわかる点も便利です。

グループを設定する

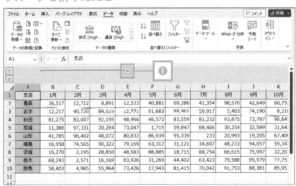

折りたたみたい列の見出しをすべて選択する（❶）。「データ」タブで「アウトライン」をクリックし（❷）、「グループ化」をクリックする（❸）。行をグループ化する場合も同様の手順で行う

グループを折りたたむ

列番号の上に表示された「-」をクリックする（❶）

	A	E	F	G	H	I	J	K	L	M	N
1	支店	4月	5月	6月	7月	8月	9月	10月	11月	12月	
2	青森	12,533	40,881	69,286	41,354	98,570	42,649	60,753	245	65,701	
3	岩手	12,771	81,683	89,961	59,917	5,403	74,190	8,210	49,071	71,391	
4	秋田	48,966	46,573	83,559	81,232	93,875	73,797	96,645	34,666	24,241	
5	宮城	73,047	1,715	59,847	88,466	30,254	32,589	31,645	35,100	49,893	
6	山形	80,832	86,939	95,339	233	20,993	19,205	67,400	42,681	72,572	
7	福島	79,169	63,312	31,121	34,607	48,233	94,057	59,343	81,223	76,744	
8	茨城	48,583	88,885	18,715	88,754	66,615	75,997	32,202	46,530	66,366	
9	栃木	83,926	31,269	44,402	63,423	79,588	99,979	77,755	7,724	77,357	
10	群馬	73,426	17,943	81,415	70,042	91,753	88,381	85,951	61,139	98,989	
11											
12											
13											

グループ化された列が折りたたまれる（❶）

| COLUMN |

不要な行や列を一時的に隠したいときは、非表示にすることができます。非表示にした行や列は、非表示にした箇所に隣接する境界線（列Bを非表示にした場合は列Aと列Cの間）を右クリックして「再表示」を選択すれば、再び表示されます。ただ、シートの先頭である列Aや行1を非表示にした場合、この方法ではうまく再表示できないことがあります。そんなときは「名前」ボックスを使ってセルA1へジャンプし、リボンから操作して再表示しましょう。

11 カレンダーで土曜日は青、日祝は赤にしたい

予定表などを作成するとき、土曜日は青、日曜日と祝日は赤のように、行全体に色を付けると見やすくなります。条件付き書式で数式を使用すれば、ルールを自在に作成して書式を指定できます。

条件付き書式の応用で行全体に色を付ける

ここでは、曜日のセルに「土」と入力されていれば行全体の背景を青、「日」または「祝」と入力されていれば赤にする方法を解説します。

条件付き書式を使って、特定の文字列が入力されているセルに色を付ける方法は、すでに92ページで説明しました。しかし、行全体に色を付ける、つまり文字列があるセルとは別の範囲も含めて書式を設定したい場合は、「指定の値を含むセルだけを書式設定」ではルールを設定できません。代わりに、数式を使用して書式設定を行います。

曜日を列Bに入力する場合、土曜日なら「=$B1="土"」、日曜日なら「=$B1="日"」という数式で条件を指定できます。「$B1」と複合参照でセルを指定するのがポイントです。あとは背景の色を指定し、書式を適用する範囲を表全体またはシート全体にすればOKです。

一方、祝日の場合は列Bに「木・祝」などと入力しているのであれば、書式を設定する条件が「末尾が『祝』となっている文字列」となります。このような場合はCOUNTIF関数を使用し、「=COUNTIF($B1,"*祝")」とします。「*」はワイルドカードと呼ばれ、任意の文字列を示す記号です。これで、「月・祝」や「水・祝」など、すべての曜日との組み合わせが条件に一致することになります。ちなみに「=$B1="土"」という数式は、「土」に完全一致する場合のみが条件になるため、「土・祝」と入力されていた場合は背景色が赤(祝日に指定した色)になります。

関数というと難しそうに思えるかもしれませんが、ここで説明する手順のとおりに入力すれば大丈夫なので、ぜひ試してみてください。予定表などを頻繁に作るなら、長い目で見ると大幅な時短につながるはずです。

範囲を選択して設定を開始

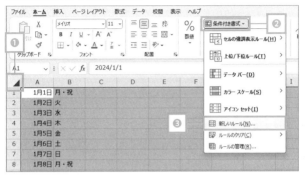

まず、書式を設定したいセル範囲を選択する。土日や祝日の行全体に色を付けたい場合は、シート全体を選択しよう（❶）。「ホーム」タブの「スタイル」グループで「条件付き書式」をクリックし（❷）、「新しいルール」を選択する（❸）

数式を使ってルールを作成

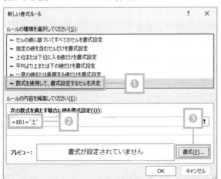

「新しい書式ルール」ダイアログが表示されたら、「数式を使用して、書式設定するセルを決定」を選択し（❶）、数式の入力欄に「=$B1="土"」と入力する（❷）。次に「書式」をクリックして（❸）、背景色を設定しよう

設定した書式が反映される

▲	A	B	C	D	E	F	G	H	I
1	1月1日	月・祝							
2	1月2日	火							
3	1月3日	水							
4	1月4日	木							
5	1月5日	金							
6	1月6日	土							
7	1月7日	日							
8	1月8日	月・祝							
9	1月9日	火							
10	1月10日	水							
11	1月11日	木							
12	1月12日	金							
13	1月13日	土							
14	1月14日	日							
15	1月15日	月							

ルールが正しく設定できていれば、土曜日の行に背景色が付くはずなので確認しよう。このあと、同様の手順で「新しい書式ルール」ダイアログを開き、日曜日や祝日の書式を設定していく。日曜の場合は数式が「=$B1="日"」となるが、それ以外の手順は土曜日と同じだ

祝日の書式ルールは関数を使う

祝日の書式を設定するときは、「=COUNTIF($B1,"*祝")」と入力する（❶）。これで、セルに「祝」で終わる文字列が入力されている場合に書式を適用できる

背景色の付いたカレンダーが完成

▲	A	B	C	D	E	F
1	1月1日	月・祝				
2	1月2日	火				
3	1月3日	水				
4	1月4日	木				
5	1月5日	金				
6	1月6日	土				
7	1月7日	日				
8	1月8日	月・祝				
9	1月9日	火				
10	1月10日	水				
11	1月11日	木				
12	1月12日	金				
13	1月13日	土				

ここまでの設定が完了すると、土曜日と日祝にそれぞれ色が付いたカレンダーになる。オートフィルなどで下の行へ日付を追加しても、自動的に同じ書式が設定されるので手間がかからない

COLUMN

WEEKDAY関数を使う方法もある

曜日を条件としてルールを作成するには、WEEKDAY関数を使用する方法もあります。WEEKDAY関数は日付のシリアル値から曜日の値を返す関数で、土曜日は「7」、日曜日は「1」となります。日付が列Aに入力されていれば、「=WEEKDAY($A1)=1」で日曜日を指定できます。この方法は、曜日を入力していない表でも使えるのがメリットです。

また、祝日を指定するときは、厳密にやりたいなら別のシートに祝日のリストを用意しておき、VLOOKUP関数でそのシートを参照するという方法を使います。ただ、リストを用意するのに手間がかかるため、ここで紹介した方法のほうが手軽でしょう。

12 セルの値が数値なのか どうかをひと目で知る

セルの中身が数値なのか数式・関数が入っているかを知りたいときは、セルを選択して数式バーを見るのが一般的でしょう。しかし、それでは大きな表での確認作業が大変なことになります。

ISFORMULA関数と条件付き書式を使う

数値や文字列などの値が入っているセルと、数式や関数が入っているセルが混在している表では、行や列を移動・削除するときに注意しなければなりません。値が入っているセルなら、ほかの行や列を削除しても値は変化しませんが、数式や関数が入っていると、参照元のセルを削除するとエラーになったり、結果が変わったりしてしまいます。

どのセルを触ってはいけないかを知りたいなら、数式・関数が入っているかどうかをISFORMULA関数で調べてみます。数式・関数ならTRUE、数値や文字列ならFALSEが返ってきます。返り値がTRUEのセルのみ、背景色を設定するように条件付き書式で設定して

おけばよいでしょう。

ただし、注意しなければならないのはセル参照を含まない「=4+3」のような数式でもTRUEが返ってくることです。そういうセルはほかの行や列を削除しても影響はありません。セル参照を含まない数式は、実際には多用されることはないでしょうが、気になるようなら「=」で検索すれば、数式をすべて探し出すことができます。

セル範囲を指定して条件付き書式を設定

数値と数式を判別したいセル範囲を選択しておく。「ホーム」タブの「スタイル」グループで「条件付き書式」→「新しい書式ルール」を選択し、「数式を使用して、書式設定するセルを決定」を選択（❶）。「=ISFORMULA(A1)」と入力する（❷）。「書式」をクリックして（❸）、背景色を設定する

背景色で数式を判別できる

勘定科目	残高試算表		整理記入		損益計算書		貸借対照表	
	借方	貸方	借方	貸方	借方	貸方	借方	貸方
現金	2,560,000						2,560,000	
当座預金	4,200,000						4,200,000	
売掛金	1,600,000						1,600,000	
貸倒引当金		32,000		48,000				80,000
有価証券	2,600,000			240,000			2,360,000	
繰越商品	1,040,000		1,300,000	1,040,000			1,300,000	
貸付金	2,000,000						2,000,000	
備品	3,200,000						3,200,000	
減価償却累計額		360,000		360,000				720,000
土地	4,000,000						4,000,000	
支払手形		❶						2,124,000
買掛金								2,600,000
資本金		14,000,000						14,000,000
売上		18,736,000				18,736,000		
受取地代		144,000	48,000			96,000		
受取利息		108,000		36,000		144,000		
仕入	11,040,000		1,040,000	1,300,000	10,780,000			
給料	3,840,000				3,840,000			
広告料	1,092,000				1,092,000			
保険料	48,000			20,000	28,000			
支払家賃	128,000		64,000		192,000			

数式が入力されたセルのみに指定した書式が適用され、ひと目で見分けられるようになる（❶）

| COLUMN |

文字入力をもっと高速にするには

エ　クセルでの入力作業を高速化するには、いかにキーボードを叩く頻度を減らすかがカギになります。本書ではそのテクニックを多数紹介していますが、入力する文字数が多い場合、どうしても入力速度そのものをアップする必要があります。そこで検討したいのがローマ字入力やかな入力以外の入力配列です。いろいろな配列が無償で公開されているので、興味があれば、ぜひ試してみてください。

13 先頭に0が来る数字を表示したい

「0」から始まる数字は数値として認識されます。しかし、製品番号など数字だけからなる値で、最初の「0」を省略されては困るケースでは、セルの表示形式をカスタマイズしましょう。

セルの表示形式で種類を「0000」に設定する

　「0」から始まり、数字だけをセルに入力すると、数値とみなされて先頭の「0」が表示されません。これを避けるにはセルを文字列に変更する方法が一般的です。

　しかし、数字のみの表示形式を文字列に設定すると、セルの左上隅に緑色の三角とエラーが表示されます。エラーチェックのオプションを変更し、エラーを非表示にしてもよいのですが、それでは本当に数値の入ったセルを文字列に設定したときにエラーが表示されず、困る可能性があります。先頭にアポストロフィを入力する方法もありますが、アポストロフィ「あり」と「なし」で値を比較したときに、正しく比較できないことがあります。

このようなエラーを避けるため、数値のままで先頭の「0」も表示されるように、表示形式を変更しましょう。

「セルの書式設定」ダイアログを表示する

	A	B	C	D	E	F
1	品番	単価	数量	金額		
2	0	12	5	600		
3	1	20	2	400		
4	2	180	8	1,440		
5	3	220	20	4,400		
6	4	250	11	2,750		
7	5	140	3	420		
8	6	300	1	300		
9	7	280	4	1,120		
10	8	80	9	720		
11	9	310	7	2,170		
12	10	240	5	1,200		
13						
14						

ここではセルに4桁の数値が入るとする。先頭に0を表示したい範囲を選択し（❶）、[Ctrl]＋[1]キーを押す

セルの表示形式を設定する

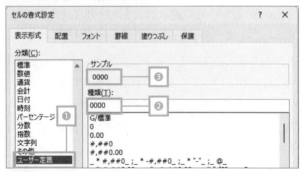

「分類」で「ユーザー定義」をクリックし（❶）、「種類」に「0000」と入力する（❷）。「サンプル」に先頭のセルの値が正しく表示されていることを確認しよう（❸）

14 字下げしたいときに スペースを使ってはダメ！

字下げしたいとき、ついスペースを使ってしまいがちですが、あとでスペースを削除したくなると大変面倒な作業になります。字下げは、インデント機能でスマートにやってしまいましょう。

インデント機能を利用する

　数値の右隣のセルに文字列が入力されていると、数値と文字列の間があまり空かないため、見栄えがよくありません。しかし、文字列を字下げしたいからといって値の先頭に空白を挿入すると、検索時にヒットしないなど、面倒な問題が起こることがあります。

　そんなときは、セルにインデントを設定しましょう。「ホーム」タブの「配置」グループで「インデントを増やす」をクリックすれば、スペースを挿入することなく、好きなだけ字下げできます。値が右寄せになっている場合は、値の末尾から左に向かってインデントを設定することになります。

「セルの書式設定」ダイアログを表示する

▲	A	B	C	D	E	F
1	エリア区分	統括担当	サブ			
2	埼玉県	赤井	霧島			
3	東京都	内田	剣持			
4	23区内	遠藤	-			
5	23区外	長田	-			
6	神奈川県	亀井	臼石			
7	千葉県	井上	工藤			
8						
9						

❶

インデントを設定したいセル範囲を選択し（❶）、［Ctrl］＋［1］キーを押す

セルにインデントを設定する

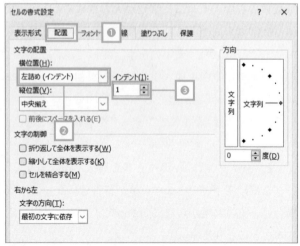

「配置」タブをクリックし（❶）、「横位置」で「左詰め（インデント）」を選択して（❷）、「インデント」に「1」を入力する（❸）

　ここまでに紹介した方法では全角1文字分のインデントを入れられます。もし半角1文字分のインデントを入れたいときは、左寄せの文字列なら「△@」（△は半角スペース）、右寄せの数値なら「#△」または「0△」とします。ただし、やや卜リッキーな書式設定なので、使う場面は見極めたほうがいいでしょう。

半角のインデントを設定する

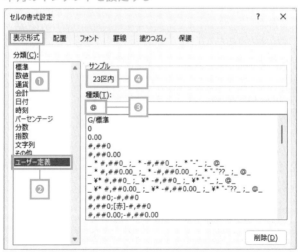

「表示形式」タブをクリックし（❶）、「ユーザー定義」を選択して（❷）、「種類」に半角スペースに「@」を続けて「 @」を入力する（❸）。「サンプル」で値の表示に半角分のスペースが空いていることを確認しよう（❹）

15 分数を入力・計算する方法を知りたい

エクセルの分数に関する機能は、意外と豊富に用意されています。使える場面は限られますが、計算も実行できるので、小数での表示よりも便利そうなら使ってみましょう。

「0 1/8」のように入力する

エクセルでは、セルに分数を入力することができます。たとえば、「0.125」と小数で入力しておき、表示形式を分数に変更すれば、「1/8」となります。あらかじめ、セルの書式を分数にしておけば、小数で入力しても確定すれば分数表示になります。

「じゃあ、最初から1/8と入力すればいいのでは」と思うかもしれませんが、実際にやってみると日付を表す値だと理解されて、「1月8日」と表示されてしまいます。この入力方法で分数を入力したいなら、「0△1/8」（△は半角スペース）と入力すべきです。帯分数なら「1△1/8」のようにします。

　もし計算しなくてもよくて、表示だけ分数のようにしたいなら、セルの表示形式を文字列にするか、「'1/8」のように最初にシングルクォーテーションを付けます。

　ただし、エクセルは分数計算が得意ではありません。分母が同じ分数同士や、1/8、1/4といった割り切れる分数でなければ、近似計算になってしまい、正解が出てこないこともあります。

　また、分母が3桁の分数と2桁の分数が縦に並んでいると、分数を表すスラッシュの位置が揃いません。どうしても気になるなら、分母の桁数を設定します。

分母を3桁に設定する

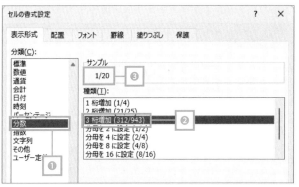

スラッシュの位置を3桁の分数に合わせたいとき、「セルの書式設定」ダイアログの「表示形式」タブを表示して、「分類」で「分数」を選択し（❶）、「種類」で「3桁増加」を選択する（❷）。「サンプル」に表示される分数を確認する（❸）

通常、分数は自動的に約分した状態で表示されます。もし分母が決まっていて、しかも約分されたくないなら、分母を入力してしまう手もあります。指定した分母と異なる分数を入力した場合、指定した分母で再計算した分数が表示されますが、値は近似値となります。

分母を指定して変更する

「分類」で「ユーザー定義」を選択し（❶）、「種類」に「???/（指定したい分母の値）」と入力する（❷）。「サンプル」に表示される分数を確認する（❸）

16 桁数の多い金額を千円単位で表示したい

桁数の多い数字は読み取りづらく、うっとうしいものです。下3桁あるいは下6桁を隠しても意味がわかるなら、桁数を減らしてしまうといいでしょう。

表示形式を工夫する

　決算書のように、桁数が多い数値を含む表では、単位を「千円」や「百万円」にして読みやすくするケースがよく見られます。ぱっと思いつくのは、計算用のセルを別途用意して、そこに本当の値を入れておき、表示する際に千または百万で割る方法です。これが正攻法ですが、印刷前提の表に計算用のセルを配置すると、計算用のセルが印刷されないように工夫しなければならないなど、面倒なことになりがちです。

　そんなときは、表示形式を設定することで割り算することなく、桁数を減らしましょう。千や百万なら簡単です。

千円単位で表示する

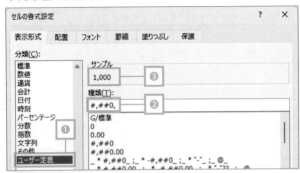

「分類」で「ユーザー定義」を選択し（❶）、「種類」に「#,##0,」と入力する（❷）。「サンプル」に値が千円単位で表示されていることを確認する（❸）。「○○千円」と表示したいときは「#,##0,"千円"」と入力する

百万円単位で表示する

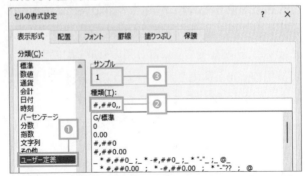

桁数を減らしたい数値を入力したセルの書式設定を表示して「表示形式」タブの「分類」で「ユーザー定義」を選択し（❶）、「種類」に「#,##0,,」と入力する（❷）。「サンプル」に値が百万円単位で表示されていることを確認する（❸）。「○○百万円」と表示したいときは「#,##0,,"百万円"」と入力する

第 **3** 章

難関の数式・関数の
楽勝テクニックは
コレだ！

数式・関数は、数値計算をしたい人だけでなく、セルの値を自動的に処理したい人全員に関係があります。本書では、数式・関数全般について網羅的に取り上げるのではなく、知っておくと便利なテーマに絞って解説しています。自分の業務に取り入れられそうなテーマや、日頃から疑問に思っているテーマから読んでみてください。IF関数の入れ子（ネスト）の減らし方、小計を簡単に求める方法、セル内改行をまとめて削除する方法など、知っておくと便利なコツを集めてあります。

01 数式・関数を使う前に知っておくべきこと

数式・関数を縦横無尽に使いこなすには、専門用語を知っておく必要があります。「見たことはある」程度でもかまわないので、頭の片隅に置いておきましょう。

基本的な用語は必ず覚えておこう

エクセルでデータの処理を行うには数式や関数を利用しますが、独特の用語があるので、その意味をまずは理解しておきましょう。

値

セルに入力された、数値や文字列などのデータです（例：「100」、「文字列」）。通常は入力したように表示されます。

数式

セルに入力された、数値や関数などを組み合わせた式のことです（例：「=123 + 456」）。セルには、入力された文字列ではなく、通常は演算結果が表示されます。

演算子

数学と同じように、四則演算（加減乗除）や比較条件（〜より大きい、以下など）を表す記号です（例：「7＋4」のプラス記号、「5＞3」の不等号）。

種類	演算子	意味
算術演算子	+	加算
	-	減算
	*	乗算
	/	除算
	^	べき乗
比較演算子	=	等しい
	>	（左が右）より大きい
	<	（左が右）より小さい
	>=	（左が右）と等しいか、より大きい
	<=	（左が右）と等しいか、より小さい
	<>	（左が右）と等しくない
文字列演算子	&	文字列を結合
参照演算子	,	数値などを列挙する際の区切り
	:	セル参照の範囲指定で使う区切り
	半角スペース	複数のセル参照の重複部分を指定する際の区切り
論理演算子	AND	2つの条件が成り立つとき
	OR	2つの条件のどちらかが成り立つとき
	NOT	条件式が成り立たないとき

比較演算子と論理演算子は、関数の動作を振り分ける際によく用いられる。条件が正しいなら論理値「TRUE」、誤りなら「FALSE」が結果となる

セル参照

　特定のセルに入力されているデータを参照する記号です。通常、行と列の記号を組み合わせて「A1」「D10」などと書きます。なお、「D10」を「R4C10」と書く「R1C1形式」という記述形式もありますが、あまり使われません。

関数

　四則演算などの計算式だけでは導けない集計や分析などを行います（例：「=SUM(1, 2, 3, 4, 5)」の「SUM」）。

引数

　「ひきすう」と読みます。関数の演算条件を指定するデータで、関数の直後に ( ) でくくった中に記述します（例：「=SUM(1, 2, 3, 4, 5)」の「1」「2」「3」「4」「5」）。なお、セル参照やセル範囲が引数になることもあります（例：=AVERAGE(A1:A5)」の「A1:A5」）。

　値や数式を入力する場合、「123456」などの数値や数式は、セルに直接入力するといいでしょう。長い文章を入力したいときや、数式の途中で改行が入る場合は、数式バーに入力したほうが見やすいことがあります。

入力しやすいほうに入力する

| SUM | ✓ : × ✓ fx | =12+34 | ❷ |

	A	B	C	D	E	F	G	H
1	=12+34	❶						
2								
3								
4								

セルに直接入力（❶）、または数式バーに入力（❷）の方法がある。入力しやすい方法で入力すればよい

　関数の引数には、いろいろな種類のデータを記述することができます。数値や文字列だけでなく、セル参照や数式、関数を記述することも可能です。

種類	引数	例
定数	数値	SQRT(100)
	文字列	LEN("エクセル時短術")
	論理値	VLOOKUP(1002, A2:C10, 1, FALSE)
	配列	AVERAGE({1, 2, 3, 4})
セル参照（セル範囲）		COUNTIF(B2:B10, A2)
論理式		IF(A2=B2, C2="○", C2="×")
関数		SUM(MAX(B2:B10), A11)
数式		SUM(A1+A2, 3, B1*2)

次に、関数を簡単に入力する方法を紹介します。関数の綴りがわかっていれば、そのままキーボードから入力してもかまいませんが、綴りに自信がない人は、ここで紹介する方法を試してみてもいいでしょう。

　なお、数式や関数はすべて半角で入力します。また、大文字と小文字は区別しません。たとえば「=sum(a1:b10)」と「=SUM(A1:B10)」は同じ意味です。ただし、いずれもほかの関数の引数となっている場合を除きます。

よく使う関数は「名前」ボックスから入力する

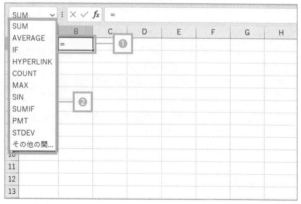

セルに「=」と入力して数式を入力し始めると（❶）、「名前」ボックスでよく使われる関数を選べるようになる（❷）

うろ覚えの関数は「オートコンプリート」で入力する

関数の先頭の数文字を入力すると（❶）、その文字列から始まる関数の一覧が表示されるのでダブルクリックで入力可能だ（❷）。長い名前やうろ覚えの関数名でもスペルミスを防げる

計算内容が表現できるなら「関数の挿入」を使う

関数の機能は覚えているが、関数名を忘れてしまった場合は、「関数の挿入」ボタンをクリックする（❶）。表示された「関数の挿入」ダイアログ（❷）の「関数の検索」にキーワードを入力すれば関数を探せる

「数式」タブの「関数ライブラリ」グループには、関数がジャンル別にまとめられている。使いたいジャンルのアイコンをクリックして（①）、表示されたリストから使いたい関数を選択する（②）

　エクセルでは、文字列を関数で扱う際に「ワイルドカード」を利用できます。ワイルドカードには「*」（アスタリスク）と「?」の2種類があって、「*」は1文字以上の任意の文字を表します。たとえば、「A」「ABC123」などが「*」で表せます。「?」は1文字の任意の文字を表すので、「A」「1」などが「?」で表せます。

　なお、「*」「?」をワイルドカードとしてではなく、文字として条件式に記述するには、直前に「~」（チルダ）を付けます。「~*」は「*」、「~?」は「?」という文字を表します。

エクセルでは、何かしらの誤りがある場合はエラーが表示されます。たとえば、「数式が正しく結果を出せない」「参照先セルが存在しない」などのときに発生します。原因に応じて異なる文字列でエラーが表示されるので、数式を修正する際はエラー表示を手がかりにするといいでしょう。

エラー表示	原因・意味	発生例
#VALUE!	数式に使われている値か参照先セルのデータが数式で扱えない種類である	=abc/100
#DV/0!	ゼロで除算している	=100/0
#REF!	参照先セルが存在しない（数式入力後に削除したなど）	=100*#REF!
#NAME?	関数名などを間違えている	=SAMU(1,2,3)
#N/A	参照するセルが見つからない（検索する関数で検索結果が存在しないなど）	=MATCH(4000,H11:H16,0)
#NUM!	数値が対象外（大きすぎる、小さすぎる、正数限定の引数に負数を記述するなど）	=10^400
#NULL!	数式に使われている参照先セルの記述が間違っている	=SUM(H11 H16)

02 絶対参照と相対参照を正しく使い分けるには

エクセル初心者にとってわかりづらいのが「絶対参照」と「相対参照」でしょう。関数を理解して使いこなすには避けて通れないので、これらもぜひともしっかり理解しておいてください。

コピペしたときに参照先がずれてもよいか

　セル参照は「絶対参照」と「相対参照」の2種類に分けられます。「A1」や「C10」といったセル参照は、数式や関数の中で使った場合、コピー&ペーストによって自動的にずれます。この参照方法を「相対参照」といいます。

数式をコピーするとセル座標が変わる

▲	A	B	C	D	E	F	G	H
1	消費税率	8%						
2	軽減税率	10%			❶			
3								
4		品名	税抜価格	消費税額				
5	2023/9/30	りんご	100	8	=C5*B1			
6	2023/10/1	みかん	200	20	=C6*B2	❷		
7								

たとえば、数式を記述したセル（ここでは「=C5*B1」）をコピーして（❶）、その1つ下のセルにペーストすると（❷）、ペースト先の数式のセル座標の行部分が1つ増える（ここでは「=C6*B2」）。つまり、「C5→C6」「B1→B2」と変更される

　一方で、行や列を表す記号の前に「$」を記述すると、コピー＆ペーストで参照先がずれません。これを「絶対参照」といいます。絶対参照でセル参照を入力するには、まず相対参照でセルを入力したあと、［F4］キーを押します。絶対参照と相対参照は、コピー＆ペーストしたときに参照先を変化させたいかどうかで使い分けます。

「$」を付けたセル座標がコピペで変化しない

▲	A	B	C	D	E	F	G	H
1	消費税率	8%			①			
2	軽減税率	10%						
3								
4		品名	税抜価格	消費税額				
5	2023/9/30	りんご	100	8	=C5*$B$1			
6	2023/10/1	みかん	200	16	=C6*$B$1 ②			
7								
8								

コピー元の数式では「B1」を「$B$1」と記述しているので（①）、ペースト先でも変化せず「$B$1」のままになっている（②）

　また、行のみ、列のみを絶対参照にすることも可能です。これを「複合参照」といいます。複合参照を入力するには、セル座標のうち、絶対参照にしたいほうに「$」を入れます。たとえば、行のみ絶対参照にしたいなら「B$2」などとします。キー操作でセル参照を切り替えたい場合は、相対参照でセルを入力したあと、［F4］

キーを2回または3回押します。2回押すと行部分のみが絶対参照になり、3回押すと列部分のみが絶対参照になります。なお、4回押すと相対参照に戻ります。

参照方法を変更する

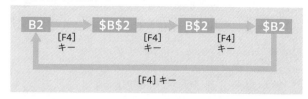

複合参照は「$」のない部分のみ変化する

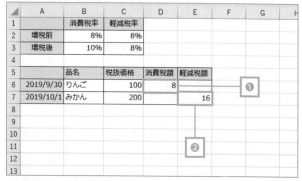

セル座標の行部分にのみ「$」を付ける。ここではセルD6に「=$C6*B$2」と入力した（❶）。このセルD6をコピーし、セルE7にペーストすると、列部分に「$」を付けた場合は、行部分のみが変化する（$C6→$C7）。行部分にのみ「$」を付けた場合は、列部分のみが変化する（B$2→C$2）（❷）

03 合計や平均は関数を使わずに求める

複数の数値から計算結果を求めるときは、一般的に数式または関数を使います。しかし、合計や平均など、とりあえず数字がわかればいいときは簡易計算機能を使うのが効率的です。

ステータスバーの簡易計算機能を利用する

表に入力した数字の合計を知りたいとき、通常はSUM関数を使います。同様に、平均ならAVERAGE関数、最大値ならMAX関数、最小値ならMIN関数を入力するのが普通です。しかし、その数値をちらっと確認できればいいときに、わざわざ関数を入力するのは効率的とはいえません。この場合は、ステータスバーの簡易計算機能を利用しましょう。

計算したい値の入ったセルを選択すれば、平均と合計、データの個数がステータスバーに表示されます。また、設定を変更すれば、最大値、最小値、数値の個数も知ることができます。

セルを選択するだけで計算結果を確認できる

	A	B	C	D	E	F	G	H
1	部門		4月		5月		6月	
2	部	課	目標	実績	目標	実績	目標	実績
3	第一営業部	販促課	2000	1989	2000	2287	2000	1680
4	第一営業部	開発販売課	2200	2398	2200	590	2200	2010
5	第二営業部	法人課	3800	4011	3800	323	3800	3295
6	第二営業部	官公庁課	2000	2760	2000	2284	2000	2039
7	第三営業部	販売課	2500	2739	2500	2498	2500	2673
8	第三営業部	仲卸課	2400	2228	2400	2374	2400	2551
9								

計算結果を見たい数値の範囲をドラッグなどで選択すると（❶）、ステータスバーに選択された範囲の数値の平均、データの個数、合計が自動的に表示される（❷）

設定を変更して別の項目を表示する

ステータスバーを右クリックして（❶）、表示したい項目にチェックを付けると（❷）、表示項目を変更できる。ここでは「平均」「データの個数」のチェックを外し、「最小値」「最大値」「合計」にチェックを付けた（❸）

よく使う集計はクイック分析で入力する

　ステータスバーの簡易計算機能は便利ですが、セルに関数を入力するわけではないので、計算結果が残りません。結果を残したいなら、「クイック分析」機能を使うと便利です。計算したいセルを選択し、右下の「クイック分析」ボタンから計算方法を選択します。クイック分析の優れたところは、複数の列または行を一度に計算できることです。

　なお、クイック分析は合計や平均などの計算以外に、よく使う条件付き書式を設定したり、グラフを配置したりもできます。自分が使いたい機能が含まれていないか、確認してみるといいでしょう。

連続数値が入力される

⬛	A	B	C	D	E	F	G	H
1	部門		4月		5月		6月	
2	部	課	目標	実績	目標	実績	目標	実績
3	第一営業部	販促課	2000	1989	2000	2287	2000	1680
4	第一営業部	開発販売課	2200	2398	2200	90	2200	2010
5	第二営業課	法人課	3800	4011	3800	23	3800	3295
6	第二営業部	官公庁課	2000	2760	2000	2284	2000	2039
7	第三営業部	販売課	2500	2739	2500	2400	2500	2673
8	第三営業部	仲卸課	2400	2226	2400		2400	2551
9								

集計したいセル範囲を選択すると（❶）、範囲の右下に「クイック分析」ボタンが表示されるので、クリックする（❷）。クイック分析が表示されるので、目的の項目を選択する（❸）

141

04 範囲指定を楽にする 一番の早道はどれ？

範囲指定をミスしてしまうと、誤った結果が出て
きてしまいます。そのため、神経を使う場面ですが、
コツを知っていればうまく切り抜けられます。

行全体または列全体を選択する

通常、セル範囲を指定するには「C3:H8」などのよう
に、範囲の左上と右下のセル座標を入力します。しかし、
特定の行や列のすべての値を関数の引数にしたいなら、
行や列全体を指定すると効率的です。

行や列の見出しをドラッグして範囲を選択する

▲	A	B	C	D	E	F	G	H	1048576R x 6C J
1	部門		4月	5月	6月	7月	8月	9月	
2	部	課	予算	予算	予算	予算	予算	予算	
3	第一営業部	販促課	2000	2200	2 ②	2200	2200	2000	
4	第一営業部	開発販売課	2200	2400	2	2400	2400	2200	
5	第二営業部	法人課	3800	4000	4200	4000	4000	3800	
6	第二営業部	官公庁課	2000	2200	2350	2200	2200	2000	①
7	第三営業部	販売課	2200	2400	2450	2400	2400	2200	
8	第三営業部	仲卸課	2000	2200	2350	2200	2200	2000	
9							総予算額	=SUM(C:H	
10								SUM(数値1, [数値2])	

ここでは列Cから列Hまでのすべての数値を合計する方法を考えてみる。
「=SUM(C3:H8)」となるように、セルC3からセルH8までセル範囲を指定
するのが普通だが、数式「=SUM(」と入力してから（①）列Cから列Hまで列
ごと指定すると（②）、「=SUM(C:H)」となって列Cから列Hまでのすべての
数値を合計できる

05 エクセルで簡易データベースを実現するには

エクセルで複数の表を連携させてデータベースのように使うには、VLOOKUP関数を利用します。ここでは、VLOOKUP関数の使い方をじっくり解説します。

VLOOKUP関数を利用する

VLOOKUP関数は、エクセルを簡易データベースとして使うときに欠かせない関数です。あらかじめ表を作っておき、それを参照して値を表示します。実例を見てみましょう。

VLOOKUPの機能を知っておこう

たとえば、法人種別のリストを作成しておけば、コードを入力するだけで（❶）、リストからコードを検索して（❷）、種別を表示させることが可能だ（❸）。表内に直接打ち込むよりも入力ミスを回避でき、絞り込みなどの活用の幅も広がる

関数を入力する前に、VLOOKUP関数の書式を確認しておきましょう。

=VLOOKUP(検索値, 範囲, 列番号, 検索方法)

「検索値」には検索したい値またはセル参照を入力します。「範囲」はセル範囲を指定します。ここに指定された範囲で「検索値」を探します。ヒットした場合の処理として、セル範囲の何番目の値を取り出すかを「列番号」を参照して決めます。「検索方法」は通常「FALSE」を指定します。それでは、実際にVLOOKUP関数を入力してみましょう。

検索のもととなるセルを選択する

▲	A	B	C	D	E	F	G
1	コード	法人種別		社名	法人種別		社名フル
2	101	国の機関			コード	種別	
3	201	地方公共団体		南国国土開発	301	=VLOOKUP(E3,	
4	301	株式会社				VLOOKUP(検索値, 範囲, 列番号, [検索方法])	
5	302	有限会社					
6	303	合名会社			②	①	
7	304	合弁会社					
8	305	合同会社					
9	399	その他の設立登記法人					
10	401	外国会社等					
11	499	その他					

「=VLOOKUP(」と入力し（①）、1つ目の引数「検索値」が入力されているセルを選択して（②）、「,」を入力する

144

検索に使う表を指定する

検索値をもとに検索したい表の範囲を選択する。検索値と照らし合わせる値が選択範囲の一番左の列になるよう注意する。選択できたら「,」を入力する

表示させたい表内の列を記述する

検索でヒットした行のうち、どの列のデータを表示させるかを指定して「,」を入力。指定の方法は列番号ではなく、「選択範囲の左からいくつ目の列か」を数値で入力する

検索方法を指定する

選択範囲から検索値を探し出す方法を選択する。「FALSE」（完全一致）では一致するデータがなければ「#N/A」エラーとなり、「TRUE」（近似一致）では「検索値を超えない最大の値」が検索される。通常は「FALSE」を指定する。指定したら、最後に「)」を入力する

コードに基づいて検索結果が表示される

この例では、検索値「301」を左の「法人種別表」から「完全一致」で探し出し（❶）、検索した行の「左から2列目」のデータ（「株式会社」）を結果として表示している（❷）

06 市の名前を入力したら都道府県名を表示する

大分類と小分類の表では、VLOOKUP関数を使って小分類から大分類を導き出すと便利なことがあります。

リストをVLOOKUPで検索する

　都道府県名と市町村名を並べて記入する表がある場合、あらかじめ都道府県と市町村のリストを作っておき、うまくVLOOKUP関数を設定すれば、市町村名の入力だけで都道府県名を入力せずに済みます。

　ただし、あらかじめ都道府県と市町村のリストが必要なので、どんな市町村名を入力しても都道府県名が表示されるようにするのは、現実的には難しいでしょう。一定地域内など、入力すべき項目の数が決まっているときに便利な考え方です。

　なお、都道府県と市町村のリストを用意する際、市町村名が左に来るようにしなければ、VLOOKUP関数では都道府県名を得られない点は注意が必要です。

必要なリストを用意して関数を入力する

	A	B	C	D	E	F	G	H
1	市区町村名	都道府県名		氏名		住所		
2	上尾市	埼玉県		氏	名	都道府県	市区町村	住所
3	朝霞市	埼玉県		田中	太郎	=VLOOKUP(G3,A2:B24,2,FALSE)		
4	伊奈町	埼玉県				VLOOKUP(検索値, 範囲, 列番号, [検索方法])		
5	入間市	埼玉県						
6	小川町	埼玉県						
7	小鹿野町	埼玉県						
8	小川町	埼玉県						
9	千代田区	東京都						
10	中央区	東京都						
11	港区	東京都						
12	新宿区	東京都						
13	文京区	東京都						
14	台東区	東京都						
15	墨田区	東京都						

まず都道府県と市町村のリストを作成しておく（❶）。セルF3に、リストの入力範囲から都道府県名を検索するためVLOOKUP関数「=VLOOKUP(G3,A2:B24,2,FALSE)」を入力する（❷）

都道府県名が入力される

	A	B	C	D	E	F	G	H
1	市区町村名	都道府県名		氏名		住所		
2	上尾市	埼玉県		氏	名	都道府県	市区町村	住所
3	朝霞市	埼玉県		田中	太郎	埼玉県	入間市	
4	伊奈町	埼玉県						
5	入間市	埼玉県						
6	小川町	埼玉県						
7	小鹿野町	埼玉県						
8	小川町	埼玉県						
9	千代田区	東京都						
10	中央区	東京都						
11	港区	東京都						
12	新宿区	東京都						
13	文京区	東京都						
14	台東区	東京都						
15	墨田区	東京都						

セルG3に市町村名を入力すると（❶）、セルF3に都道府県名が表示される（❷）

07 VLOOKUP関数は 出来の悪い関数だ！

VLOOKUP関数を使いこなせば、かなり複雑なデータベースをエクセルで組み上げることが可能です。しかし、関数の仕様上、どうしても解決できない問題もあります。

VLOOKUP関数には3つの問題がある

エクセルで簡易データベースを作って時短を考えるとなると、VLOOKUP関数の使いこなしの話になることが多いでしょう。しかし、使い込めば使い込むほど、関数の制限に頭を悩ませるかもしれません。

表に変更があると数式を書き換える必要がある

VLOOKUP関数は4つの引数「検索値」「範囲」「列番号」「検索方法」を取ることができます（144ページ参照）。このうち、2つ目の引数「範囲」は、参照する表の範囲が変わると、書き換える必要があります。表はよく追加されるものなので、その都度書き換えの手間が発生します。ただ、この問題は「範囲」にセル範囲ではなく、テーブル名を使うことで解決が可能です。

列を増減させると数式を書き換える必要がある

3つ目の引数「列番号」は通常、数値で指定しますが、列を増減させるとずれてしまいます。よって、この場合も数式を書き換える必要が出てきます。これはCOLUMN関数を組み合わせることで何とか解決できます。

検索値の列を入れ替えられない

VLOOKUP関数で指定した「検索値」が見つかった場合、その値の右側にあるセルから情報を取得して返します。しかし、この関数の制限として、列の順序は変更できないため、検索値の左側にあるセルからはデータを取得できません。つまり、「検索値」は、返したい情報が含まれるセルの左側に配置されていなければならないということになります。

この制約はVLOOKUP関数だけでは解決できません。そのため、本来望む結果が得られない場合は、後継となるXLOOKUP関数を使用する方法が一般的な代替手段となります。ただし、Microsoft 365バージョン以外の一部のエクセルではXLOOKUP関数を利用できません。そのときはINDEX関数とMATCH関数を組み合わせることになります。

08 IF関数では入れ子が多くなりすぎて使いづらい

場合分けをしたいときに必須なのがIF関数です。しかし、条件が増えていけばいくほど、わかりにくくなってしまいます。この問題への対処は別の関数を使うしかありません。

IFS関数やSWITCH関数を使う

条件に合っているかどうかで、異なる値を返すのがIF関数です。まず、IF関数の書式を確認しておきます。

=IF(論理式, 真の場合, 偽の場合)

「論理式」には「A1>10」など条件を表す式が入ります。その条件が正しければ「真の場合」、誤っていれば「偽の場合」に書かれた値を返します。これだけだと簡単そうに見えますが、問題は「真の場合」「偽の場合」ともにIF関数などほかの関数を引数としてとることができることです。これを「ネスト」といいます。

次の関数では、E3セルが1.3以上なら「A」、1.3より小さく1.1以上なら「B」、1.1より小さく1以上なら「C」、1より小さく0.8以上なら「D」、0.8より小さければ「E」を返しています。

```
=IF(E3>=1.3,"A",IF(E3>=1.1,"B",IF(E3>=1,"C",IF(E3>=0.8,"D","E"))))
```

コードに基づいて検索結果が表示される

F3	✓ : × ✓ fx	=IF(E3>=1.3,"A",IF(E3>=1.1,"B",IF(E3>=1,"C",IF(E3>=0.8,"D","E"))))							
▲	A	B	C	D	E	F	G	H	I	J
1	部門		4月						
2	部	課	目標	実績	達成率	ランク			
3	第一営業部	販促課	2,000	1,989	0.99	C			
4	第一営業部	開発販売課	2,200	2,398	1.09	C			
5	第二営業部	法人課	3,800	4,011	1.06	C			
6	第二営業部	官公庁課	2,000	2,760	1.38	A			
7	第三営業部	販売課	2,500	2,739	1.10	C			
8	第三営業部	仲卸課	2,400	2,228	0.93	D			

IF関数の場合、このように記述する。カッコがたくさん並んでおり、対応関係がわかりにくい

　時間をかけて紐解けば式の意味も理解できますが、カッコがいくつも続くことがあり、書き方がやや煩雑です。これを避けるには、IFS関数を使うといいでしょう。書式を確認しておきます。

```
=IFS(論理式1, 真の場合1, 論理式2, 真の場合2, ……, TRUE, すべて偽の場合)
```

　「論理式1」には、IF関数と同様に、「A1>10」などの条件を表す式が入ります。この条件が正しければ「真の場合1」として指定された値が返されます。もし誤っている場合は、次の「論理式2」の評価へと進みます。ここで「論理式2」が正しければ「真の場合2」として指定された値が返され、誤っていればさらに次の論理式の評価へと進むという流れになります。

　このように、各「論理式」とそれに対応する「真の場合」の値を最大で127セットまで指定できます。それ以上の場合分けが必要なら別の方法を検討します。

　注意すべき点として、すべての「論理式」が誤っていた場合、最終的な返り値を指定しないと、「#N/A」エラーを返してしまいます。これを避けるには、必ず真となる論理式または論理値「TRUE」と、それに対応する「すべて偽の場合」の値を記述する必要があります。

　では、先にIF関数で記述した式を、IFS関数を使って書き換えてみましょう。

```
=IFS(E3>=1.3,"A",E3>=1.1,"B",E3>=1,"C",E3>=0.8,"D
",TRUE,"E")
```

F3			✓ ƒx	=IFS(E3>=1.3,"A",E3>=1.1,"B",E3>=1,"C",E3>=0.8,"D",TRUE,"E")

▲	A	B	C	D	E	F	G	H	I	J
1	部門		4月							
2	部	課	目標	実績	達成率	ランク				
3	第一営業部	販促課	2,000	1,989	0.99	D				
4	第一営業部	開発販売課	2,200	2,398	1.09	C				
5	第二営業部	法人課	3,800	4,011	1.06	C				
6	第二営業部	官公庁課	2,000	2,760	1.38	A				
7	第三営業部	販売課	2,500	2,739	1.10	C				
8	第三営業部	仲卸課	2,400	2,228	0.93	D				
9										
10										
11										
12										
13										
14										

IFS関数では、このように記述する。カッコがないので、見た目がわかりやすい

カッコが少なくなって、見通しがだいぶよくなりました。考え方はIF関数で記述したときと同じですが、書き方が易しくなった印象があります。

もう1つ、知っておくと便利な関数があります。それは、SWITCH関数です。

=SWITCH(式, 値1, 結果1, 値2, 結果2, …, 既定値)

上で紹介したように、値が連続的に変わるのであれば、IFまたはIFS関数を使いますが、いくつかの値の中から選べるのであれば、SWITCH関数のほうがずっと見通しのいい式を作れます。

　たとえば、セルA1が「大人」なら1900、「大学生」なら1500、「高校生以下」なら1000、「3歳未満」なら「無料」という値を返す関数を考えてみましょう。もしIF関数で記述すると次のようになります。

```
=IF(A1="大人", 1900, IF(A1="大学生", 1500, IF(A1="高校生以下", 1000, IF(A1="3歳未満", "無料", "不明"))))
```

　見てのとおり、論理式が増えれば増えるほどネストが深くなり、わかりづらくなります。一方、SWITCH関数を使った場合は次のようになります。

```
=SWITCH(A1, "大人", 1900, "大学生", 1500, "高校生以下", 1000, "3歳未満", "無料", "不明")
```

　このようにスッキリとして、わかりやすくなりました。つまり、自分の環境でSWITCH関数を使えるのなら、こちらを優先すべきだといえます。

09 関数を使わずに 2つのセルを比較する

複数のセルに入力されている数値や文字列を比較して、同一か確かめたいことがあります。関数を使って調べる方法以外に、簡単な数式でチェックできる方法も覚えておくと便利です。

単純な数式だけで2つの値を比較する

複数のセルに入力されている値が同じかどうか調べる方法はいくつかありますが、対象となるセルが2つだけなら、ごく簡単な数式でチェックできます。セルA2とB2を比較したい場合は「=A2=B2」というように、参照するセルを等号でつなぐだけでOKです。

数式を使って数値や文字列を比較する

	A	B	C	D	E	F	G	H	I
1	値1	値2	比較結果						
2	AAA	AaA	TRUE						
3	BBB	CCC	FALSE						
4	あああ	あ あ あ	FALSE						
5	0.1	0.10	TRUE						
6	0.1	0.10001	FALSE						

セルA2とB2の値を比較したい場合は、「=A2=B2」と入力する（❶）。ほかにも比較したいセルの組み合わせがあれば、数式をコピーすればよい。比較した値が等しければ「TRUE」、異なれば「FALSE」と表示される（❷）

比較した結果、値が等しければ「TRUE」、異なっていれば「FALSE」と返ってきます。ただし、この方法では英字の大文字と小文字は区別されないので注意しましょう。

条件によっては関数が必要な場合もある

ただし、この方法では比較できるセルは2つだけです。3つ以上のセルを比較したいときは、AND関数を使いましょう。たとえばセルA2 ～ C2までの値が等しいかどうか調べたい場合、次のように記述します。

`=AND(A2=B2,(B2=C2))`

ただ、比較したいセルの数が多いと数式が長くなってしまいます。そんなときは、COUNTIF関数を利用するとよいでしょう。セルA2 ～ E2を比較したい場合は、以下のように記述します。

`=COUNTIF(A2:E2,A2)=5`

第1引数では比較するセル範囲、第2引数では範囲の先頭にあるセルを指定します。末尾の数字は、比較

するセルの数を指定します。数式全体では「セルA2
〜 E2のうち、A2と同じ値のセルの数は5である」とい
う意味になり、結果がTRUEであれば5つのセルに入
力された値がすべて等しいことになります。

　もし、大文字と小文字の違いも識別する必要があれば、
EXACT関数を使いましょう。セルA2とB2を比較す
る場合、以下のように記述します。

大文字・小文字の違いも含めて比較

セルA2とB2を比較したい場合は、「=EXACT(A2,B2)」と入力する（❶）。
大文字・小文字の違いも含めてセルの内容が比較され、等しければ「TRUE」、
異なれば「FALSE」と表示される（❷）

　EXACT関数だけを使う場合、比較できるセルは2
つだけです。3つ以上のセルを比較したい場合は、AND
関数と組み合わせて、以下のように記述しましょう。

=AND(EXACT(A2:C2,A2))

10 小計を求めるのに関数を手入力してはいけない

表の集計というと、ピボットテーブルを使うことを考えてしまいがちですが、小計程度ならほかの機能を使うことも考えてみましょう。

小計機能を利用する

　縦に長い表では、ところどころに小計を入れると、表の見通しがよくなります。ただ、手動で項目を分類したり、分類した項目ごとに計算したりしていると、時間がかかるばかりではなく、合計範囲を間違うなどミスが生じやすくなります。もし項目ごとに小計を求めたいのであれば、エクセルの小計機能を使うとあっという間に求められます。

　小計を求めるには、まず表を適切に並べ替えます。これにより、同じカテゴリーのデータが一緒になり、集計が容易になります。次に、摘要ごとにデータを集計し、最後に集計方法を選択して集計行を表に挿入します。この方法なら、手動で計算を行う場合に比べて、時間を節約し、計算ミスを減らせるでしょう。

集計したいグループごとに並べ替える

表内「摘要」列のいずれかのセルを選択してから（❶）、「データ」タブの「並べ替えとフィルター」グループで「昇順」をクリックする（❷）

並び順が変わったことを確認する

▲	A	B	C	D	E	F	G	H	I
1	日付	金額	摘要						
2	1月25日	980	医療費						
3	1月27日	8,900	交際費						
4	1月27日	5,000	交通費						
5	1月27日	1,080	交通費						
6	1月20日	2,200	娯楽費						
7	1月22日	2,008	娯楽費						
8	1月4日	2,920	食費						
9	1月5日	3,020	食費						
10	1月19日	1,280	食費						
11	1月30日	1,720	食費						
12	1月31日	3,320	食費						
13	1月10日	5,528	日用品費						
14	1月22日	7,650	日用品費						
15	1月27日	76,200	日用品費						
16	1月30日	2,079	日用品費						
17	1月11日	19,800	美容費						
18									
19									
20									
21									

選択した「摘要」列と同時に、表内の各列も一緒に並び順が変わる

摘要ごとに集計する

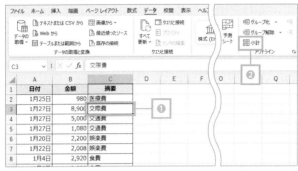

表の「摘要」列にある任意のセルを選択し（❶）、「データ」タブの「アウトライン」グループで「小計」をクリックする（❷）

集計方法を指定する

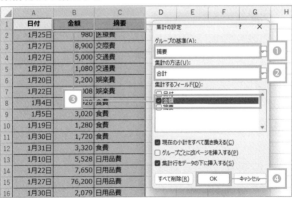

「集計の設定」ダイアログが表示されたら、「グループの基準」とする列（❶）、「集計の方法」（❷）、「集計するフィールド」とする列（❸）を指定。「OK」をクリックする（❹）

集計行が挿入される

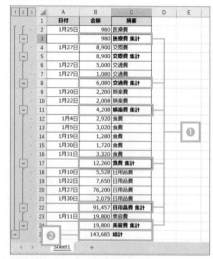

「摘要」列に同じ文字列を持つ行ごとに合計が計算され、集計タイトルとともに表の中にそれぞれ計算結果行が挿入される（❶）。また、表の最後には集計行も同時に追加される（❷）

折りたたんで表示を調整できる

1 2 3	◢	A	B	C	D	E
	1	日付	金額	摘要		
+	3		980	医療費 集計		
+	5		8,900	交際費 集計		
	6	1月27日	5,000	交通費		
	7	1月27日	1,080	交通費		
	8		6,080	交通費 集計		
	11		4,208	娯楽費 集計		
+	17		12,260	食費 集計		
	18	1月10日	5,528	日用品費		
	19	1月22日	7,650	日用品費		
	20	1月27日	76,200	日用品費		
	21	1月30日	2,079	日用品費		
	22		91,457	日用品費 集計		
	23	1月11日	19,800	美容費		
	24		19,800	美容費 集計		
	25		143,685	総計		
	26					
	27					

集計行、総計行と同時に、ワークシートの左側に「アウトライン」も追加される。「+」や「-」をクリックすることで集計単位に折りたたんだり、広げたりして表示を調整できる

162

11 異常値を除いた平均値を簡単に算出するには

平均を求める際に問題になるのが異常値です。いちいち目で見ながら異常値を取り除いていたのでは、手間がかかってしかたありません。何か方法はないのでしょうか。

TRIMMEAN関数で異常値を取り除く

データの中に、何らかの理由で突出した値（異常値）を含んでいる場合、そのまま平均を計算すると、実態からかけ離れた結果が出ることがあります。異常値を平均に含めないようにするには、その値を計算から除かねばなりませんが、表の中から1つだけ数値を取り除いて平均する数式を作るのはかなり面倒な作業になってしまいます。

そんなときは、上下一定の割合の数値を除いて平均を求めるTRIMMEAN関数を使うと便利です。平均から大きく離れているかどうかではなく、一定の割合の数値をそのまま平均の計算から除きますが、計算対象の数値が十分あれば、問題にはならないでしょう。

TRIMMEAN関数は次のように記述します。

=TRIMMEAN(配列, 割合)

「配列」は、平均を求めたいセル範囲を指定します。「割合」は、上下のどのくらいの値を平均から取り除くかを指定します。「0.1」なら上位5%と下位5%が平均から取り除かれます。なお、割合をどのくらいの数値に設定するかによって、平均の値は変わってきます。あまり極端に大きくすると、平均が実態からかけ離れることがあるので、注意が必要です。

突出した値を除いて平均値を算出

▲	A	B	C	D	E	F	G	H	I	J	K
1			7月			8月			9月		
2		上旬	中旬	下旬	上旬	中旬	下旬	上旬	中旬	下旬	
3	1	141	103	114	65	127	75	146	54	114	
4	2	445	70	122	111	352	97	103	118	77	
5	3	128	125	115	109	76	70	135	146	355	
6	4	117	118	54	76	89	120	91	105	92	
7	5	145	390	108	119	98	88	108	78	102	
8	6	122	111	352	97	118	118	122	111	352	
9	7	115	109	76	70	135	146	118	54	76	
10	8	398	352	97	103	118	390	390	108	119	
11	9	119	98	88	128	125	103	118	77	390	
12	10	97	103	114	117	118	135	146	355	111	
13		182.7	157.9	124.4	99.5	134.1	134.2	147.7	120.6	178.8	
14	=TRIMMEAN(B3:B12,0.2)										
15											
16											

たとえば、月ごとの上旬／中旬／下旬の来客数の平均値を算出するために、通常より来客数が多い祝日の数値を対象外にしたいとする。ここでは、「割合」に「0.2」を指定し、上位10％と下位10％の数値を取り除いている

12 宝くじを1枚買ったときの払戻金の期待値は？

宝くじを買うと、平均でいくらの当せん金がもらえるものなのでしょうか。こういう計算もSUMPRODUCT関数を使えば簡単に実行できます。

SUMPRODUCT関数で計算する

宝くじでは高額当せん金は滅多に得られませんが、実際に1枚買うと、平均していくらくらい当せん金をもらえるか、期待値をエクセルで計算してみます。ここで使うのはSUMPRODUCT関数です。

=SUMPRODUCT(配列1, 配列2, ……)

この関数では、「配列1」「配列2」などに指定されたセル範囲の値を掛け合わせ、その結果を合計します。SUMPRODUCT関数の便利な点は、複雑な配列数式を使わずに配列を計算できるので、確率の計算などが簡単かつ正確に行えるところです。実際に使ってみると、その便利さや効率性がわかりますので、計算の機会があれば試してみるといいでしょう。

ここでは「第787回全国自治宝くじ」（ドリームジャンボ）を例に平均でもらえる当せん金を計算してみましょう。

　ドリームジャンボの当せん本数は1ユニット（1000万枚）あたりで決まっています（2ユニット販売されたら当せん本数は2倍、3ユニットなら3倍）ので、1ユニットあたりの当せん数と当せん金から払戻金の期待値を求められます。

各等の当せん確率を算出する

	A	B	C	D	E
1	等級等	当せん金（円）	本数（1ユニットあたり）	確率	
2	1等	300,000,000	1 ①	=C2/$C$11	
3	1等の前後賞	100,000,000	2		
4	1等の組違い賞	100,000	99		
5	2等	10,000,000	3		
6	3等	1,000,000	60		
7	4等	100,000	2,000		②
8	5等	10,000	10,000		
9	6等	3,000	100,000		
10	7等	300	1,000,000		
11		販売本数／ユニット	10,000,000		
12			払戻金の期待値		
13					

ユニット単位で当せん本数が増えていく方式なので、当せん確率はユニットあたりの「当せん本数÷販売本数」で求められる（①）。販売本数は数式のコピー時にセル座標がずれないよう絶対参照にしておく。数式を確定したらフィルハンドルをドラッグして数式をコピーする（②）

各等の当せん確率を算出する

	A	B	C	D	E	F
1	等級等	当せん金（円）	本数（1ユニットあたり）	確率		
2	1等	300,000,000	1	0.0000001		
3	1等の前後賞	100,000,000	2	0.0000002		
4	1等の組違い賞	100,000	99	0.0000099		
5	2等	10,000,000	3	0.0000003		
6	3等	1,000,000	60	0.000006		
7	4等	100,000	2,000	0.0002		
8	5等	10,000	10,000	0.001		
9	6等	3,000	100,000	0.01		
10	7等	300	1,000,000	0.1		
11		販売本数／ユニット	10,000,000			
12			払戻金の期待値	=SUMPRODUCT(B2:B10,D2:D10)		
13						
14						
15						
16						

各等の「当せん確率×当せん金」の総和が払戻金の期待値なので、SUMPRODUCT関数で簡単に求められる

払戻金の期待値が表示される

	A	B	C	D	E	F
1	等級等	当せん金（円）	本数（1ユニットあたり）	確率		
2	1等	300,000,000	1	0.0000001		
3	1等の前後賞	100,000,000	2	0.0000002		
4	1等の組違い賞	100,000	99	0.0000099		
5	2等	10,000,000	3	0.0000003		
6	3等	1,000,000	60	0.000006		
7	4等	100,000	2,000	0.0002		
8	5等	10,000	10,000	0.001		
9	6等	3,000	100,000	0.01		
10	7等	300	1,000,000	0.1		
11		販売本数／ユニット	10,000,000			
12			払戻金の期待値	149.99		
13						
14						
15						
16						

ドリームジャンボが1枚300円なのに対し、払戻金の期待値は約150円となった。およそ半額である

13 通常の平均では正しく求められない！

平均といえば、数値を全部加え、数値の個数で割る操作を思いつきますが、これ以外にも「平均」と呼ばれる計算方法があります。これらの方法を知っておくと、思いがけず役立ちます。

平均にはいくつか種類がある

行きは時速40km、帰りは時速15kmで移動したときの平均時速を計算する場合、「(40+15)/2=22.5」で時速22.5kmとするのは誤りです。移動距離が120kmだとすると、行きは3時間、帰りは8時間かかるので、平均時速は約21.8kmとなります。

また、会社の売り上げが1年目に前年の120%、2年目に150%、3年目に90%の場合の平均成長率を計算する場合、「(120+150+90)/3=120」とする計算は誤りです。最初の売り上げが1000万円としたとき、1年目の終わりで1200万円、2年目は1800万円、3年目は1620万円ですので、成長率の平均は117.4%程度です。

小学校で教える平均は「算術平均」または「相加平均」

といいますが、これ以外の平均の方法もあります。

まず、算術平均はAVERAGE関数を用います。

=AVERAGE(セル範囲)

「セル範囲」に算術平均を求めたい値が入っているセル範囲を指定します。なお、セル範囲ではなく、数値やセル参照などを「,」で区切って並べることもできます。

算術平均(相加平均)

	A	B	C	D	E	F	G	H	I
	B7		✕ ✓ fx	=AVERAGE(B2:B6)					
1	氏名	点数							
2	田中昭雄	390							
3	緒方雄二	412							
4	兵頭康	388							
5	庄司太郎	356							
6	宇野沢勇吉	422							
7	平均点	393.6							
8									

テストの平均点を求めるときなど、一般的な平均値の算出に用いる

成長率や利回りの計算に用いられるのが、「幾何平均」または「相乗平均」と呼ばれる平均の求め方です。エクセルでは、GEOMEAN関数を利用します。引数はAVERAGE関数と同様です。

=GEOMEAN(セル範囲)

C13		:	$\times$ $\checkmark$ f_x	=GEOMEAN(C3:C12)					
	A	B	C	D	E	F	G	H
1	年度	売上（千円）	前年度比（%）					
2	2012	869.3						
3	2013	930.5	107.0%					
4	2014	1,010.2	108.6%					
5	2015	1,223.5	121.1%					
6	2016	1,445.9	118.2%					
7	2017	1,765.8	122.1%					
8	2018	2,011.6	113.9%					
9	2019	2,234.5	111.1%					
10	2020	2,789.4	124.8%					
11	2021	3,239.9	116.2%					
12	2022	3,505.5	108.2%					
13		平均前年度比	115.0%					
14								
15								

比率の平均を求めるときなどに用いる

平均時速の計算などで利用するのが、調和平均です。エクセルでは、HARMEAN関数を利用します。引数はAVERAGE関数と同様です。

=HARMEAN(セル範囲)

調和平均

B4		:	$\times$ $\checkmark$ f_x	=HARMEAN(B2:B3)		
	A	B	C	D	E	F
1		時速（km/h）				
2	行き	40				
3	帰り	15				
4	平均時速	21.81818182				
5						

調和平均の計算にはHARMEAN関数を用い、平均時速を求めるときなどに用いる

重みが違う数値同士の平均を取る場合、それぞれの重みを計算に入れなければ正しい数値が求められません。この場合に使うのが加重平均です。

次の表は、世代別のスマホ所有率の表です。世代ごとに調査数が異なるため、このまま所有率の算術平均を取っても意味がありません。調査数×所有率を世代ごとに計算してスマホ所有者の実数を合計し、調査数で割ればよいのです。エクセルでこの計算を行うには、SUMPRODUCT関数とSUM関数を組み合わせます。

加重平均

	A	B	C	D	E	F
C11		=SUMPRODUCT(B2:B10,C2:C10)/SUM(B2:B10)				
1	世代（歳）	調査数（人）	モバイル端末所有率（%）			
2	6～12	2289	30.3%			
3	13～19	2345	79.5%			
4	20～29	3409	94.5%			
5	30～39	4587	91.7%			
6	40～49	5290	85.5%			
7	50～59	5885	72.7%			
8	60～69	7722	67.8%			
9	70～79	5345	52.5%			
10	80～	3520	39.4%			
11		所有平均（%）	69.9%			
12						
13						
14						
15						
16						

グループごとにデータ数が異なることを加味した平均値を算出するには、SUMPRODUCT関数とSUM関数を組み合わせる

14 セル内改行が邪魔なので 一括で改行を削除したい

セル内改行には弊害が多いため、安易に使うべきではありません。シート内にセル内改行がたくさんある場合、関数を使って素早く除去するのが最も効率的な方法です。

CLEAN関数で文字列から改行を除去する

セル内改行をすべて削除したい場合は、CLEAN関数を利用します。この関数は、セル内改行のほかにタブ文字なども削除できるので、Webページからコピーしたり、別のソフトから取り込んだりしたりしたときに紛れ込む不要な文字を削除するのにも使えます。

CLEAN関数を用いるときは、もとの文字列が入力されているセルとは別のセルに、以下のように入力します。

=CLEAN(もとの文字列が入力されたセル)

引数には、改行を含むセルを指定します。これで、もとのセルから改行などを除去した文字列を取り出せ

ます。改行を含むセルが複数ある場合は、オートフィルなどで数式をコピーしましょう。

CLEAN関数を入力する

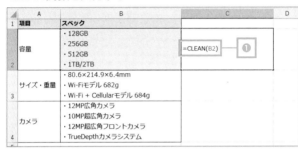

改行が含まれるセルとは別のセルを入力先として選択し、CLEAN関数を入力する。ここではセルB2内の改行を削除したいので、「=CLEAN(B2)」と入力した（❶）

文字列から改行が除去される

入力先のセルに、もとの文字列から改行を除去したものがコピーされた（❶）。ほかにも改行を削除したいセルがある場合は、オートフィルなどで数式をコピーすればよい（❷）

15 数式や関数がどのセルを参照しているかを調べる

数式が参照しているセルを知るために、いちいち数式バーを確認するのは面倒です。セル参照の関係をすぐに確認するには「参照元のトレース」や「参照先のトレース」を使います。

参照元／参照先のトレースを行う

セルに埋め込まれた数式がどのセルを参照しているのかを知りたいとき、通常は数式のセル参照からセルを特定することが多いでしょう。しかし、それでは非効率だと感じることもあります。

そんな場合は、「参照元のトレース」や「参照先のトレース」機能を利用します。これらの機能を使えば、セルに入力されている数式や関数がどのセルを参照しているかが見やすく表示されます。

ここでは九九の表を例にしつつ、「参照元のトレース」と「参照先のトレース」の使い方を確認していきましょう。

数式が参照している「元」のセルを知る

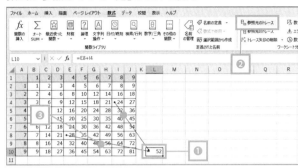

セルに埋め込まれた数式が、どのセルを計算の「元」にしているかを知るには、そのセルを選択してから（❶）、「数式」タブの「ワークシート分析」グループで「参照先のトレース」をクリックする（❷）。「元」となるすべてのセルから選択したセルへ矢印が表示される（❸）

特定のセルを参照している「先」を知る

特定のセルがどのセルから参照されているかを知るには、そのセルを選択して（❶）から「数式」タブの「ワークシート分析」グループで「参照先のトレース」をクリックすればよい（❷）。選択したセルを参照しているすべてのセルへ矢印が表示される（❸）

16 特定の文字列を含んだセルの数をカウントする

COUNTIF関数で引数に「出席」という文字列を指定すると、「ご出席」や「出席します」がカウントから漏れてしまいます。それらも併せてカウントするにはワイルドカードを使います。

ワイルドカード「*」を利用する

特定の文字列を含んだセルをカウントするには、COUNTIF関数を使いますが、これでカウントできるのはその文字列のみが入ったセルだけです。

まず、COUNTIF関数の書式を確認します。

=COUNTIF(検索範囲, 検索条件)

「検索範囲」に検索対象となるセル範囲などを指定します。また、「検索条件」には何を検索するかを数値や文字列、セル参照などで指定します。

もし前後に別の文字列が入ったセルもカウントしたい場合は、ワイルドカードを利用します。ワイルドカードには「*」と「?」の2種類があります。「*」は「0文字以

上の任意の文字列」を意味するので、COUNTIF関数の第2引数を「*出席*」とすれば、「出席します」や「今回も出席です」などをカウントできます。なお、「?」は「1文字の任意の文字列」を表します。

カウントしたい文字列を「*」ではさむ

	E9	✓ : × ✓ fx	=COUNTIF(B2:B9,"*出席*")			
▲	A	B		C	D	E
1	氏名	回答				
2	加藤芳樹	出席します	①			
3	木村勉	出席いたします				
4	武藤勘吉	欠席				
5	茅野隼人	出席予定				
6	戸越雄一	謹んで出席いたします				②
7	下地あかね	残念ですが欠席します				
8	根室裕子	出席できる				
9	小林光秀	欠席させていただきます			出席者数	5
10						
11						

COUNTIF関数の第2引数を「*出席*」と指定（①）。これで「出席します」「謹んで出席いたします」などもカウントされた（②）。ただし、「出席しません」「出席できません」もカウントしてしまうため、使い方には注意が必要だ

　より柔軟に検索するには「正規表現」を使うのがベストですが、エクセルには正規表現をサポートする関数がありません。そのため、正規表現を用いて文字列を検索するには、VBAとVBScriptのRegExp関数を組み合わせてユーザ定義関数を作成するか、「正規表現検索」というアドインを利用する必要があります。

17 「1+43.1-43.2」が0.9にならない？

エクセルで小数を含む計算をしていると、なぜか正しい答えが出てこないときがあります。理由と対処方法を知っておきましょう。

エクセルは小数計算が苦手

　人間は日常的に0から9の10種類を使う「10進数」を利用します。一方、コンピューターの大半のソフトウェアでは、0と1の2つの数字で情報を表す「2進数」を利用しています。エクセルは内部的に2進数で計算し、ユーザーには理解しやすい10進数で結果を表示していますが、小数点以下の変換プロセスにおいて誤差が生じることがあります。

　たとえば、エクセルで「43.1-43.2」を計算すると、一見正しく「-0.1」と表示されます。しかし、セルの表示形式を「数値」、「小数点以下の桁数」を「15」以上にすると、0.000000000000001が余計に引かれるため、「1+43.1-43.2」は「0.9」ではなく、「0.899999999999999」となってしまいます。

エクセルの計算には誤差がある

	A	B	C	D	E
❶	-0.1	=43.1-43.2			
❷	-0.100000000000001	=43.1-43.2			
❸	0.899999999999999	=1+43.1-43.2			
5					
6					

「43.1-43.2」の答えを小数点第1位まで表示すると、正しく計算されているように見える（❶）。しかし、小数点以下15位で誤差が出てくる（❷）。1を加えると、誤差がよくわかる（❸）

　コンピューターの数値は2進数、すなわち2のべき乗で表現されます。たとえば整数「7」は、「7=2^2+2^1+2^0」と表せます。しかし、小数は「2^(-1)」（10進数で0.5）、「2^(-2)」（10進数で0.25）などの組み合わせとなるため、10進数の小数とぴったり一致させられることが少なくなっています。つまり、コンピューター上の小数のほとんどは近似値、すなわち誤差を含んでいるのです。

　もし、精密な計算をしたいなら、エクセルの有効桁数のことも知っておきましょう。表示・計算できる桁数を大きくするとメモリーが消費され、処理に時間がかかります。そのため、現実的な妥協点として国際規格IEEE754では「精度は15桁」と定められています。

そのため、エクセルでも有効なのは15桁目までです。たとえば整数「1234567890123456」を入力しても、16桁目の「6」は無視されて「0」になります。同様に、小数「0.1234567890123456」の最後の「6」は無視されます。

エクセルの計算には誤差がある

◢	A	B	C	D	E	F	G
1	桁数	整数	小数				
2	1	1	0.1000000000000000				
3	2	12	0.1200000000000000				
4	3	123	0.1230000000000000				
5	4	1234	0.1234000000000000				
6	5	12345	0.1234500000000000				
7	6	123456	0.1234560000000000				
8	7	1234567	0.1234567000000000				
9	8	12345678	0.1234567800000000				
10	9	123456789	0.1234567890000000				
11	10	1234567890	0.1234567890000000				
12	11	12345678901	0.1234567890100000				
13	12	123456789012	0.1234567890120000				
14	13	1234567890123	0.1234567890123000				
15	14	12345678901234	0.1234567890123400				
16	15	123456789012345	0.1234567890123450				
17	16	1234567890123450	0.1234567890123450				
18							

整数、小数とも16桁目の入力が反映されていないのがわかる

とはいえ、日常的な場面で誤差を意識するケースは、それほど多くありません。たとえばお金の計算の場合、16桁は1000兆円の規模なので使う機会は限られますし、その桁の数字では10円や1円の桁は無視できるでしょう。

小数の誤差がどうしても気になるなら、ROUND関数で丸めて、小数点以下の桁数を減らすしかありません。

18 重くて動かないエクセルファイルを動かすには

大量のデータを含むブックを扱っていると、計算結果が出てくるまで時間がかかるようになることがあります。この場合は入力だけ先に済ませて、あとで計算するといいでしょう。

計算方法を手動に切り替える

VLOOKUP関数やCOUNTIF関数、INDIRECT関数やOFFSET関数などを使った大量のデータを扱う表を作成すると、数式をコピーした際に結果が出るまで数十秒もかかってしまうことがあります。

このような場合、再計算を行わないようにすれば、重くて入力ができないといった事態は避けられます。

再計算機能をオフにする

再計算を自動的に行わないようにするには、「数式」タブの「計算方法」グループで「計算方法の設定」をクリックし（❶）、「手動」を選択する（❷）。これだけで、セルを編集しても再計算が実行されなくなり、作業効率が向上する。入力が終わって最新の計算結果を確認したい場合は、「数式」タブの「計算方法」グループで「再計算実行」をクリックする（❸）

19 数式・関数を入力したら数式が表示された！

セルに数式や関数を入力したにもかかわらず、計算結果の値ではなく、数式がそのまま表示されてしまうことがあります。

文字列として入力していないか確認しよう

　セルの表示形式を「文字列」にした状態で数式や関数を入力すると、入力内容が文字列として扱われ計算が実行されません。「文字列を入力するつもりで表示形式を設定しておいたセルに、予定を変更して数式を入力した」というような場合には注意しましょう。

再計算機能をオフにする

表示形式を確認するには、「ホーム」タブの「数値」グループにある「数値の書式」で確認する（❶）。ここが「文字列」になっていると、数式や関数がそのまま表示されてしまう（❷）

20 エラー表示そのままでは カッコ悪い!

ほかのユーザーとブックを共有したり、印刷して配布したりするとき、セルにエラー値が表示されたままだと見栄えがよくありません。このようなエラーは非表示にしておきましょう。

関数を使ってエラーを非表示にする

　関数を使うと、数式に誤りがなくてもエラー値が返ってくることがあります。たとえばVLOOKUP関数では、該当するデータがない場合に「#N/A」というエラーが返されます。このようなエラーを非表示にするには、IFERROR関数を使う方法があります。

=IFERROR(チェックする値 ,"エラー時に表示する文字列")

　「チェックする値」には、数式またはセル範囲を指定します。結果がエラーの場合は指定した文字列を表示します。エラー時の表示を空白にしたい場合は、ダブルクォーテーションを2つ入力して「""」とします。

	A	B	C	D	E	F	G
1	コード	法人種別		社名	法人種別		
2	101	国の機関			コード	種別	
3	201	地方公共団体		南国国土開発	500	#N/A	①
4	301	株式会社		南国国土開発	500	該当なし	
5	302	有限会社					
6	303	合名会社				②	
7	304	合弁会社					
8	305	合同会社					
9	399	その他の設立登記法人					
10	401	外国会社等					
11	499	その他					
12							

セルF3とF4は、どちらもVLOOKUP関数を使って左の表からコードを検索し、種別を表示するための数式が入っている。F3では、該当データがないためエラーが表示された（①）。一方、F4ではIFERROR関数を使っているので（ここでは「=IFERROR(VLOOKUP(E3,A1:B11,2,FALSE),"該当なし")」と入力）、エラー時には「該当なし」と表示されるようにしている（②）

　　IFERROR関数は汎用性が高い反面、関数を入れ子にするため、やや煩雑です。そこで、1つの関数でエラーに対処する方法も覚えておきましょう。

　　エラー表示で特に問題になりやすいのが、SUM関数やSUBTOTAL関数などの集計関数です。一般的な集計関数は、集計対象のセル範囲に1つでもエラー値があると、集計結果もエラーになってしまいます。これを防ぐのが、エラーが含まれるセルや非表示のセルを無視して集計できるAGGREGATE関数です。

=AGGREGATE(集計方法, オプション, 集計範囲1, 集計範囲2, ……)

　「集計方法」で1 ～ 19の数値を指定することで、さまざまな種類の集計が可能です。たとえば「1」なら平均値（AVERAGE）、「9」なら合計値（SUM）を求められます。また、「オプション」ではエラーなどを無視する方法を指定できます。

AGGREGATE関数で使用できる集計方法

集計方法	機能	該当する関数
1	平均値を求める	AVERAGE
2	数値の個数を求める	COUNT
3	データの個数を求める	COUNTA
4	最大値を求める	MAX
5	最小値を求める	MIN
6	積を求める	PRODUCT
7	不備標準偏差を求める	STDEV.S
8	標本標準偏差を求める	STDEV.P
9	合計値を求める	SUM
10	不偏分散を求める	VAR.S
11	標本分散を求める	VAR.P
12	中央値を求める	MEDIAN
13	最頻値を求める	MODE.SNGL
14	降順の順位を求める	LARGE
15	昇順の順位を求める	SMALL
16	百分位数を求める	PERCENTILE.INC
17	四分位数を求める	QUARTILE.INC
18	百分位数を求める（0と1を除く）	PERCENTILE.EXC
19	四分位数を求める（0と1を除く）	QUARTILE.EXC

AGGREGATE関数で使用できるオプション

オプション	機能
0または省略	ネストされたSUBTOTAL関数とAGGREGATE関数を無視する
1	0の機能に加え、非表示の行を無視する
2	0の機能に加え、エラー値を無視する
3	0の機能に加え、非表示の行とエラー値を無視する
4	何も無視しない
5	非表示の行を無視する
6	エラー値を無視する
7	非表示の行とエラー値を無視する

通常の集計関数ではエラーに対処できない

一般的な集計関数は、集計範囲にエラー値があると（❶）、集計結果もエラーになってしまう（❷）。「小計」機能で挿入されるSUBTOTAL関数も、集計範囲にエラー値があると正常に集計が行えない（❸）

AGGREGATE関数でエラーを無視して集計する

	購入部署	購入品	数量	単価	小計	
2	人事部	ノートパソコンスタンド	8	3500	28000	
3	人事部	プレミアム関数電卓	2	25000	50000	
4	人事部 集計				78000	
5	総務部	ボールペン+練習帳セット	10	990	9900	
6	総務部	3口コンセント	3	2200	6600	
7	総務部 集計				16500	
8	第一営業部	封筒 長形3号 100枚セット	5	720円	#VALUE!	
9	第一営業部	2WAYはさみ	5	880	4400	
10	第一営業部	多機能ペン	10	1850	18500	
11	第一営業部 集計				=AGGREGATE(	
12	第二営業部	ステンレス直尺	5	440	2200	
13	第二営業部 集計				2200	
14	販促課	ホチキス針	3	300	900	
15	販促課	ボールペン替える	10	90	900	
16	販促課 集計				1800	
17	総計				#VALUE!	

一般的な集計関数は、集計範囲にエラー値があると集計結果もエラーになる。
そのため、ここではSUBTOTAL関数の代わりにAGGREGATE関数を使う
（①）。第1引数として集計方法を選択する（②）。選択可能な集計方法のリス
トはSUBTOTAL関数と共通だ

エラーの処理方法を指定する

第2引数には、オプションとして集計の実行時に無視する要素を指定する。
ここでは、エラー値や非表示の行などを無視できる「3」を指定した。あとは
集計範囲を指定すればよい

エラー値があっても集計結果を表示できる

1 2 3		A	B	C	D	E	F
	1	購入部署	購入品	数量	単価	小計	
	2	人事部	ノートパソコンスタンド	8	3500	28000	
	3	人事部	プレミアム関数電卓	2	25000	50000	
	4	**人事部 集計**				78000	
	5	総務部	ボールペン+練習帳セット	10	990	9900	
	6	総務部	3口コンセント	3	2200	6600	
	7	**総務部 集計**				16500	
	8	第一営業部	封筒 長形3号 100枚セット	5	720円	#VALUE!	
	9	第一営業部	2WAYはさみ	5	880	4400	
	10	第一営業部	多機能ペン	10	1850	18500	
	11	**第一営業部 集計**			⚠	22900	
	12	第二営業部	ステンレス直尺	5	440	2200	
	13	**第二営業部 集計**				2200	
	14	販促課	ホチキス針	3	300	900	
	15	販促課	ボールペン替え芯	10	90	900	
	16	**販促課 集計**				1800	
	17	**総計**				#VALUE!	
	18						

集計範囲にエラー値が含まれていても（❶）、その値を除いて集計した結果
が表示される（❷）

| COLUMN |

ChatGPTをエクセルで活用する

生成AIサービスの「ChatGPT」を利用すると、エクセルでの作業を大幅に効率化できます。たとえば、やりたいことを伝えれば関数の作成をアシストしてくれますし、マクロの自動生成も可能です。また、「ChatGPT for Excel」などのアドインを導入すると、エクセルにはない機能をカスタマイズして使うこともできます。

第 **4** 章

手際よく
思いどおりに
サクッと印刷する

エクセルの印刷で最大の課題となるのが、印刷したい部分だけを
過不足なく取り出して印刷することです。ワードと異なり、ページの
切れ目が画面上では明示されないため、どこまでが1ページに印刷
されるのかを確認するのに手間がかかります。本章ではそこをどう
解決するのか、詳しく解説しています。また、背景に「部外秘」といっ
た画像を配置して印刷するなど、業務改善に役立つちょっとしたテ
クニックも紹介しています。

01 印刷設定のミスを 印刷前に見つける

エクセルで作ったファイルを印刷したとき、意図したような印刷結果が得られず、印刷し直した経験のある人は多いでしょう。そんな失敗を防ぐには、事前にプレビューを確認することが大切です。

プレビューで印刷結果を事前に確認する

エクセルの「印刷」画面では、現在開いているシートを印刷するとどんな結果になるのかをプレビューで確認できます。

印刷プレビューを確認する

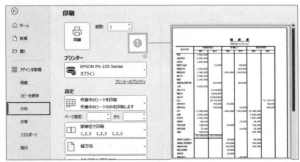

「印刷」画面では、右側に印刷イメージがプレビュー表示される（❶）

画面左の「設定」で用紙のサイズや余白、拡大縮小などを変更すると、すぐにプレビューに反映されます。印刷前にプレビューをしっかりチェックし、適切な設定に変更することは、印刷に関する時短の基本です。

プレビューを拡大表示する

「印刷」画面の右下にある「ページに合わせる」をクリックすると（❶）、プレビュー表示を拡大できる。もう一度クリックすると、全体表示に戻すことができる

191

02 カラープリンターで モノクロ印刷したい

カラー文書をモノクロで印刷すると、インク代を節約でき、マーカーや赤ペンでの指示も書きやすくなるというメリットがあります。

「白黒印刷」を選べばモノクロでも見やすい

　セルの背景色やグラフなどをカラーで仕上げた文書でも、印刷時にモノクロにしたい場合があります。プリンターの設定で対応すると見づらくなりますが、エクセルの「白黒印刷」を利用すると、モノクロ印刷に最適化されて視認性が上がります。

「シート」タブで「白黒印刷」を設定

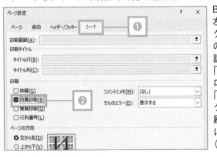

Backstageビューの左側で「印刷」をクリックしたら、「印刷」画面の下部にある「ページ設定」をクリックする。「ページ設定」ダイアログが表示されたら「シート」タブをクリックし（❶）、中段の「印刷」にある「白黒印刷」にチェックを付ける（❷）

03 印刷時にセル幅や文字サイズ調整は"禁じ手"

印刷用のデータをほかの人に渡すとき、ちょっとした配慮をしてみませんか。1ページから少しだけはみ出してしまうサイズのデータなら、少し調整すれば違和感なく、はみ出さずに印刷できます。

「ページレイアウト」タブで横幅を調整する

　自分の作ったデータを受け取った相手が必ず印刷する場合、ちょっとした配慮をしておくと、印刷のトラブルを避けることができます。エクセルでは、表の横幅が大きくて1枚に収まらないとき、次の用紙に分割して印刷します。そのため、本来1ページに収めたい表の横幅が少し大きすぎるだけでも、本来のページ数の2倍の印刷用紙を消費します。

　もしも、扱うデータが縦に長い表だったりすると、無駄になる印刷用紙の枚数もバカになりません。

　このような印刷トラブルを避けるのに、セル幅や文字サイズを変更して表のサイズを小さく作り変えるのは"禁じ手"です。そもそも作業に時間がかかるうえに、

全体のバランスが崩れてしまうこともあります。

　印刷時に表の端が切れて2枚目の用紙に送られてしまう場合は、横や縦のページ数を調整しましょう。「ページレイアウト」タブで、横や縦のページ数を調整するのがおすすめです。

　なお、「拡大縮小印刷」で横幅や高さを調整した場合、印刷の前にプレビューでイメージを確認しておきましょう。縮小しすぎると文字が読みにくくなるので、そのようなケースでは用紙の向きやサイズを変更するなど、別の方法と併用した対処が必要になります。

横幅を縮小して1ページに収める

「ページレイアウト」タブの「拡大縮小印刷」グループで「横」の「∨」をクリックし（❶）、「1ページ」を選択する（❷）

04 各ページにタイトル行を印刷したい

縦長の表を複数のページに分割して印刷する場合、2ページ目以降の列のデータが何を示すのかをわかりやすくするために、各ページの先頭にタイトル行を印刷するように設定しておきましょう。

「ページ設定」でタイトル行を指定して印刷

　　印刷内容に関する細かい設定は「ページ設定」ダイアログで行います。タイトル行をすべてのページに印刷したい場合、どの行がタイトルにあたるのかを指定しておく必要があります。指定後は、実際に印刷する前にページレイアウトを確認し、正しく設定できているかどうか確認しておきましょう。

「ページ設定」ダイアログを表示する

「ページレイアウト」タブの「シートのオプション」グループの右下にある「シートのページ設定」をクリックする（❶）

タイトル行の設定を開始する

「ページ設定」ダイアログの「シート」タブで（❶）「タイトル行」の右にあるアイコンをクリックする（❷）。横長の表でタイトル列を設定したい場合は「タイトル列」の右のアイコンをクリックしよう

表のタイトル行を選択する

月日	新宿店	渋谷店	池袋店	中野店	四谷店	上野店	
12月1日	3,451	7,683	7,693	6,209	4,567	6,921	
12月2日	6,169	2,671	7,974	7,271	1,022	3,217	
12月3日	7,560	7,139	2,506	8,306	6,439	8,955	
12月4日	1,486	3,791	1,304	5,804	6,384	4,538	
12月5日	9,537	1,572	1,245	8,467	1,993	4,977	
12月6日	6,350	8,811	8,119	1,659	2,567	8,052	
12月7日	4,613	9,340	8,716	6,834	8,228	8,867	

タイトル行に設定したい行をクリックして選択してから（❶）、縮小表示されているダイアログの右にある小さなアイコンをクリックする（❷）

「ページ設定」ダイアログを閉じる

「ページ設定」ダイアログの全体が表示されたら「OK」をクリックする（❶）

2ページ目以降のタイトル行を確認する

リボンの「表示」タブの「ブックの表示」グループから「ページレイアウト」をクリックすると（❶）、2ページ目以降のタイトル行を確認できる（❷）。なお、Backstageビューの「印刷」でもプレビューを確認することが可能

05 エクセル以外のアプリで正しく印刷してもらう

エクセルを持っていない相手にファイルを印刷してもらいたいときは、PDF形式で書き出してから渡すと確実です。PDFなら受け取った側も扱いやすく、トラブルが起こりにくくなります。

ファイルをPDF形式で書き出してから渡す

ファイルを渡したい相手に表示・印刷のみ許可したい場合は、PDF形式に変換してから送付するのがおすすめです。PDFならAdobe Acrobat Readerなどの無料ソフトで閲覧でき、エクセルのブックを他社製の互換ソフトで開いたときのようにレイアウトが崩れる心配もありません。編集はほぼ不可能な反面、閲覧や印刷だけの場合には便利です。

エクセルが備えているエクスポート機能を使えば、Adobe Acrobatなどのソフトがなくても、ファイルを簡単にPDF形式で出力できます。出力時には「標準」と「最小サイズ」の2種類から品質を選択できますが、印刷してもらう場合は「標準」を選んだほうがよいでしょ

う。また、標準の設定では現在表示しているシートだけがPDFで出力されますが、ブック全体あるいは複数のシートを選択して出力することも可能です。

PDF形式にエクスポートする

Backstageビューで「エクスポート」（①）→「PDF/XPSドキュメントの作成」（②）→「PDF/XPSの作成」をクリック（③）。次の画面でファイル名と出力品質を指定する

—— COLUMN ——

PDFをエクセルのブックに戻すには

エクセルから書き出したPDFは、エクセルのブックに戻すことも可能です。Adobe Acrobat Pro（有料）を使えば、ブックに変換できます。

PDFを読み込んで「変換」メニュー（①）からExcelを選択し（②）、「XLSXに変換」をクリックする（③）

199

06 各ページの印刷範囲を細かく決めておきたい

大きな表を複数のページに分けて印刷するとき、中途半端な位置でページが切れてしまうと、見栄えが悪く内容も把握しづらくなります。「改ページプレビュー」で区切り位置を変更しましょう。

改ページプレビューで区切り位置を指定する

改ページプレビューは、現在の設定で印刷したときに、どこでページが分割されるのかを確認するための画面です。ページの境界が青い線で表示され、この線をドラッグすれば改ページ位置を移動させることが可能です。

ここでは縦長の表を上下に分割して印刷する場合を例に説明していますが、横長の表で左右にページを分割する場合も、同様の方法で改ページ位置を変更できます。

改ページプレビューで実際の表を見ながら行単位または列単位で細かく調整することによって、思いどおりの場所でページを分割した印刷結果を得られるようになります。

ページの区切りを移動する

| ファイル | ホーム | 挿入 | ページ レイアウト | 数式 | データ | 校閲 | 表示 | ヘルプ |

A1 : × ✓ fx 月日

	A	B	C	D	E	F	G	H
30								
37	2月5日	5,209	3,512	5,178	7,778	9,003	8,294	7,219
38	2月6日	2,748	2,141	6,617	9,228	8,529	512	6,316
39	2月7日	4,370	9,497	100	9,672	9,440	1,902	3,751
40	2月8日	8,297	663	7,702	7,134	4,721	4,537	1,564
41	2月9日	3,184	9,991	9,575	5,926	9,170	2,746	4,929
42	2月14日	3,633	4,561	5,026	5,802	500	2,331	572
43	2月1日							

「表示」タブの「ブックの表示」グループで「改ページプレビュー」をクリック
する(❶)。「改ページプレビュー」表示に切り替わったら、ページの境界を示
す青い線をドラッグして移動する(❷)

　逆に、複数のページを1つの用紙に印刷したいときは、
プリンタードライバーの機能を使って、2ページまたは
4ページになる分を1枚に押し込んで印刷する方法もあ
ります。ただし、この機能が利用できるかどうかは、プ
リンターによります。

プリンタードライバーで縮小印刷する

ここではキヤノンのプリン
ターの機能を使う。Backsta
geビューの「印刷」画面で
「プリンターのプロパティ」
をクリック。すると、この画
面が表示されるので「2 in
1印刷」にチェックを入れる
(❶)。あとは通常どおり印
刷を実行する

07 大きな表の一部だけ印刷できる?

大量のデータを1つのシートで管理している場合、その一部だけを印刷したいこともあるでしょう。そんなときは印刷範囲を設定することで、特定のセル範囲だけを印刷できます。

「印刷範囲」で特定のセル範囲だけを選択する

表の一部だけを印刷したいときはリボンの「ページレイアウト」タブにある「印刷範囲」で設定します。印刷したいセル範囲を選択し、その部分に印刷範囲を設定します。ファイルを保存すると印刷範囲の情報も保持され、次回以降も同じ設定で印刷できます。

選択範囲を印刷範囲として設定する

印刷したいセル範囲を選択し、「ページレイアウト」タブの「ページ設定」グループで「印刷範囲」をクリックし(❶)、「印刷範囲の設定」を選択する(❷)。シート全体を印刷したいときは、「印刷範囲のクリア」を選択する

印刷イメージをプレビューで確認

Backstageビューの「印刷」画面に切り替え（❶）、右側のプレビュー表示で
意図どおりに印刷範囲が設定されているかどうかを確認する（❷）

印刷範囲を追加する

	A	B	C	D	E	F	G	H	I
32	12月31日	6,474	3,874	6,874	6,988	2,176	4,910		
33	1月1日	3,011	1,356	5,924	9,363	2,947	7,849		
34	1月2日	9,922	6,754	1,040	5,307	3,371	5,544		
35	1月3日	5,678	1,691	4,786	7,174	2,517	3,249		
36	1月4日	7,753	5,197	3,906	9,433	1,274	9,352		
37	1月5日	2,823	1,295	2,328	1,390	7,525	9,220		
38	1月6日	9,705	1,251	2,304	2,362	6,648	9,708		
39	1月7日	8,109	2,060	2,698	8,289	5,746	2,348		
40	1月8日	4,613	9,340	8,716	6,834	8,228	8,867		

すでに印刷範囲を設定しているとき、印刷範囲をさらに追加したいときは、
追加したい範囲を選択して「ページレイアウト」タブの「ページ設定」グルー
プで「印刷範囲」（❶）→「印刷範囲に追加」をクリックする（❷）

一時的に印刷範囲を指定して印刷する

印刷範囲の指定が一時的なもので、設定を残す必要がない場合には、範囲選択してから印刷を実行すると、選択した範囲のみを印刷できます。なお、「ブック全体を印刷」を選択すると、シート単位ではなく、ブック単位で印刷することが可能です。ブック全体を印刷したいときには、ここから実行すると便利です。

印刷したい範囲を選択してからBackstageビューで「印刷」をクリックする（❶）。「設定」の「作業中のシートを印刷」をクリックして表示されたメニューの「選択した部分を印刷」を選択する（❷）

08 印刷時のみ 適用したい設定がある

印刷時に特定の列を非表示にしたり、用紙の縦横を変更したりする場合、印刷後に設定を戻すのは大変面倒です。そこで、これらの設定を印刷時に限定して適用する方法を覚えておきましょう。

印刷用のビューを保存して簡単に切り替える

「社内で扱うときは表示しておきたいが、社外向けに印刷するときは非表示にしたい」という情報を含む文書は珍しくないでしょう。印刷するたびに非表示にしたり、印刷後に元に戻したりするのは面倒です。

そんなときは、すべて表示している状態と、社外向けに印刷してよい情報のみ表示した状態の2つをビューに登録しておき、必要に応じて切り替えるようにします。そうすると、いちいち非表示にしたり再表示したりする手間が省けます。なお、ビューの切り替えは印刷以外の場合でも使えるので、表示の状態を頻繁に切り替える作業を実行していれば、試してみるといいでしょう。

よく使う設定の登録を開始する

印刷したい表示にして（❶）、リボンの「表示」タブの「ブックの表示」グループで「ユーザー設定のビュー」をクリックする（❷）

ユーザー設定のビューを追加する

「ユーザー設定のビュー」ダイアログで「追加」をクリックする（❶）

ビューに名前を付けて登録する

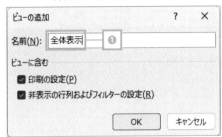

「ビューの追加」ダイアログで、この設定に付ける名前を入力する（①）。これでビューの登録は完了だ

ユーザー設定のビューを切り替える

登録したビューを切り替えるには、「表示」タブの「ブックの表示」グループで「ユーザー設定のビュー」をクリックし（①）、「ユーザー設定のビュー」ダイアログで切り替えたいビューを選択してから（②）、「表示」をクリックする（③）

09 印刷時のセルの大きさを
印刷前に計算したい

画面で見ていると問題なかったのに、印刷してみ
るとセルのサイズが小さすぎた、ということもあ
るでしょう。そこで、正確なサイズを事前に確認し、
必要であればcm単位で調整する方法を紹介します。

cm単位でセルのサイズを知る

　エクセルで方眼紙のようなものを作りたいとき、困っ
てしまうのがセルのサイズです。1辺1cmの正方形が
集まった表を作りたくても、エクセル上では通常、印
刷時のサイズは表示されません。

　「標準」表示の画面で確認できるセルのサイズはピ
クセル単位になっていますが、画面を「ページレイアウ
ト」表示に切り替えると、cm単位でサイズを確認でき
るようになります。また、ダイアログで数値を入力し、
cm単位でサイズを設定することも可能です。標準の
設定ではサイズがcm単位で表示されますが、mm単
位の表示に変更することも可能です。

ページレイアウト表示に切り替える

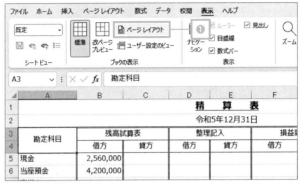

「表示」タブの「ブックの表示」グループで「ページレイアウト」をクリックする（❶）

列の幅や行の高さを調整する

「ページレイアウト」表示では、列ラベルの境界をドラッグして幅を調整する際、サイズがセンチメートル単位で表示される（❶）。行ラベルの場合も同様に、高さがセンチメートル単位で表示される

数値を指定して幅や高さを変更する

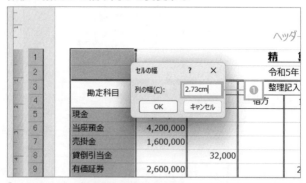

「ページレイアウト」では、列ラベルを右クリックして「列の幅」を選択すると、ダイアログでもcm単位で数値を入力できる（❶）。行ラベルを右クリックして「行の高さ」を選んだ場合も、同様にcm単位での入力が可能だ

オプションの「詳細設定」で「ルーラーの単位」を変更

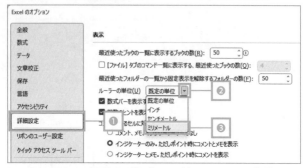

Backstageビューの左下にある「オプション」をクリックする。「Excelのオプション」ダイアログの左側で「詳細設定」を選択し（❶）、「表示」にある「ルーラーの単位」の右にある「∨」をクリックしたら（❷）、「ミリメートル」を選択する（❸）

10 シートの背景に「部外秘」などの画像を配置したい

エクセルで作成した書類を配布するとき「部外秘」や「コピー禁止」などの文字を入れて印刷し、注意を促したい場合があります。このような「透かし」をシートの背景に配置する方法を紹介します。

ヘッダーに透かし用の画像を追加する

ワードには「社外秘」などの透かしを挿入する機能がありますが、エクセルの場合は「透かし」という機能はありません。しかし、ヘッダーを利用することでシートの背景に透かしを入れることができます。

ただし、ヘッダーに透かしの画像を配置する場合、あらかじめ別のソフトで作成するなどの方法で用意しておく必要があります。画像処理ソフトを別途用意するか、パワーポイントでスライド上に文字を入力し、色を調整してから右クリック→「図として保存」を選択して保存します。また、利用できる画像のファイル形式は、JPEG/PNGなど一般に使われる多くの種類に対応しています。

ページレイアウト表示に切り替える

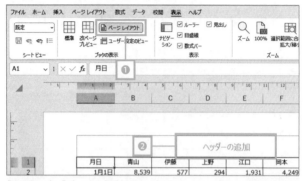

「表示」タブの「ブックの表示」グループで「ページレイアウト」をクリックする（❶）。ページレイアウト表示に切り替わったら、「ヘッダーの追加」とあるヘッダー部分をクリックしよう（❷）

ヘッダーに画像の追加を開始する

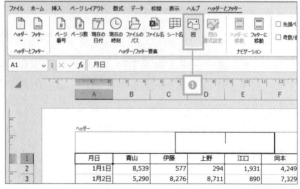

ヘッダー部分が入力待機状態になったら、「ヘッダーとフッター」タブの「ヘッダー／フッター要素」グループで「図」をクリックする（❶）

画像ファイルの保存場所を選ぶ

「画像の挿入」ダイアログが表示されたら、透かし用の画像がパソコンに保存されている場合は「ファイルから」を、OneDriveに保存されている場合は「OneDrive」を選択する（❶）

透かし画像のファイルを選択する

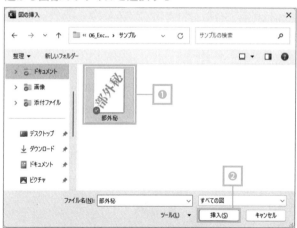

ファイルの選択画面が表示されたら、透かし用の画像を選択して（❶）、「挿入」をクリックする（❷）

ヘッダーの編集を終了する

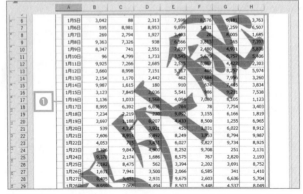

月日	青山	伊藤	上野	江口	岡本
1月1日	8,539	577	294	1,931	4,249
1月2日	5,290	8,276	8,711	890	7,329
1月3日	1,203	7,623	4,422	6,083	8,290
1月4日	7,629	7,062	7,649	7,740	9,315
1月5日	3,042	88	2,313	7,598	8,576
1月6日	595	8,981	8,953	9,899	1,631
1月7日	269	2,794	1,927	3,403	28
1月8日	9,363	7,326	938	6,566	3,813
1月9日	8,347	741	2,551	7,827	2,480

ヘッダー部分に「&[図]」と表示されていることを確認し(❶)、ヘッダー以外のシートの部分をクリックする

画像の表示を確認する

	1月5日	3,042	88	2,313	7,599	8,576	6,181	3,763
	1月6日	595	8,981	8,953	9,899	1,431	7,259	6,507
	1月7日	269	2,794	1,927	3,403	28	8,005	1,685
	1月8日	9,363	7,326	938	6,566	3,813	365	7,397
	1月9日	8,347	741	2,551	7,827	2,480	4,931	5,838
	1月10日	96	4,799	1,733	3,545	5,679	6,757	5,406
	1月11日	9,925	7,266	2,685	2,519	8,960	4,421	2,303
	1月12日	3,660	8,998	7,151	5,317	486	8,257	5,974
	1月13日	2,154	1,170	2,442	462	9,584	7,956	3,260
	1月14日	9,987	1,615	180	910	674	7,485	3,834
	1月15日	3,123	7,845	2,036	5,541	986	9,211	7,538
	1月16日	1,136	1,033	1,568	4,094	7,080	8,105	1,123
	1月17日	8,995	6,392	6,656	764	78	7,754	3,403
	1月18日	7,234	2,219	230	9,052	3,155	6,166	1,819
	1月19日	3,697	1,188	6,207	4,433	8,500	1,255	6,965
	1月20日	539	4,725	3,921	451	3,031	6,022	8,912
	1月21日	7,606	8,914	5,492	8,249	3,953	8,794	9,987
	1月22日	4,053	715	3,451	6,027	9,827	9,734	8,925
	1月23日	8,326	9,847	4,900	8,252	9,708	251	2,131
	1月24日	9,370	2,174	1,686	8,575	767	2,820	2,193
	1月25日	2,162	8,475	562	3,394	2,202	3,691	8,752
	1月26日	1,631	7,941	3,500	2,066	6,585	341	1,410
	1月27日	8,405	5,451	2,931	9,675	2,603	6,636	5,704
	1月28日	8,958	7,069	5,494	8,503	5,448	4,537	8,049

先ほど選択した画像が各ページの背景として表示されるので(❶)、スクロールしながら確認しよう

11 小さい表を用紙の中央に印刷したい

縦横のサイズが小さい表を印刷すると、用紙の左上のほうに配置され、余白が大きすぎて見栄えが悪いことがあります。そこで、用紙の中央にバランスよく配置して印刷してみましょう。

ページ設定で中央に配置して印刷する

印刷するときに余白が大きすぎる場合の解決策として覚えておきたいのが、表を用紙の中央に配置して印刷する方法です。この設定は、「ページ設定」ダイアログの「余白」タブで行います。水平、垂直のどちらかだけを中央にすることもできるので、表のサイズに合わせて設定しましょう。

縦と横の位置を中央に設定する

Backstageビューで「印刷」を選択。「ページ設定」ダイアログで「余白」タブをクリックし（❶）、「ページ中央」の「水平」および「垂直」のいずれか、または両方にチェックを付ける（❷）

12 複数のシートを 一度に印刷するには

印刷したいシートがブック内に複数ある場合、1つ
ずつ分けて印刷の操作をするのは手間がかかります。
一度にまとめて印刷し、無駄な労力を省きましょう。

印刷時の設定画面で範囲を指定する

　印刷したいシートを選択してから印刷すると、必要
な複数のシートを一度に印刷できます。また、シート
単位以外に、ブック全体も印刷可能です。

全シート（ブック全体）を印刷する

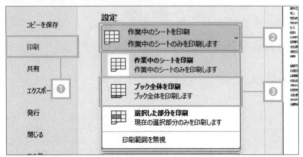

Backstageビューで左側の「印刷」をクリックして（❶）、「設定」にある「作
業中のシートを印刷」の部分をクリックし（❷）、表示されたメニューで「ブッ
ク全体を印刷」を選択する（❸）

第5章

さまざまな時短技で
作業時間を
一気に短縮！

本章で解説している内容は、業務を進めるうえで必須の知識ではありません。しかし、不要なものというわけではなく、一部の人にしか関係ないというわけでもありません。「時短」という目標に向かうとき、決して避けては通れないテーマを扱っています。初心者には若干難しく感じる部分もあるかもしれませんが、是非とも目を通してみてください。なお、ここで紹介したテーマには、複数の解決方法が存在することもありますが、本書では最も時短につながりやすい手順を取り上げています。

01 ショートカットキーを 覚えてはいけない！

「そんなわけない！ショートカットキーを覚えるのが時短への近道に決まってる」と思う人も多いでしょう。では、なぜ覚えてはいけないのか、ここで説明します。

ショートカットの表から覚えるのは非効率

エクセルの操作方法について解説している本やWebページなどには、「ショートカットキーをマスターしよう」と書いてあるものがたくさんあります。ショートカットキーを使えば、リボンやメニュー、右クリックメニューから実行する機能を簡単なキー操作で済ませられます。だから、「ショートカットキーさえ覚えれば、仕事は早く終わる」とまでいう人も出てくるわけです。もちろん、[Ctrl]+[C]（コピー）や[Ctrl]+[V]（ペースト）といった超基本的なショートカットキーを知らないのではお話になりません。[Ctrl]+[PageUP]（左のシートに移動)や[Ctrl]+[Shift]+[Home]（アクティブセルから表の先頭までを選択する）といったショー

トカットキーも知っておくと非常に便利です。

しかし、受験勉強のように、ショートカットキーの表を見て、そのとおりに覚えようとすると、大変な労力がかかってしまいます。

では、どうすればいいのでしょうか。日常の業務の中でマウスで頻繁に行う作業、面倒だと思う操作を実現するショートカットキーを探すのです。見つかれば、それを作業の中で置き換えていきます。もし万一、「ショートカットキーを覚えるほうが難しい」「この場面でショートカットキーを思い出しているほうが時間がかかってしまう」となれば、ショートカットキーを使わないほうがかえって時短につながります。

ショートカットキーを使う目的は時短であって、ショートカットキーを覚えることそのものではありません。「ショートカットキーなら、こんなこともできるんだよ」と同僚に見せつければ、鼻高々で"ドヤ顔"はできますが、業務の効率アップとは本質的に関係ありません。注意しなければならないのは、「ショートカットキー至上主義」に陥らないことです。トータルで時短を実現することを考えましょう。

リボンのメニューからショートカットキーを知る

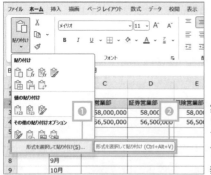

実現したい機能にマウスポインターを合わせる（❶）。すると、ツールチップが表示されて、ショートカットキーが表示される（❷）

　また、メニューの下に下線が引いてある場合は、[Alt]キーとの組み合わせでその項目のオン／オフが切り替えられます。

[Alt]キーと英字を組み合わせる

たとえば、「セルの書式設定」ダイアログの「フォント」タブを表示しているとき、[Alt]＋[K] キーを押すと、[取り消し線]のチェックのオン／オフが切り替わる（❶）

02 好きなキーでショートカットを実行する

ショートカットキーを覚えれば便利なのはわかっていても、複数のキーの組み合わせをいくつも覚えるのはなかなか大変です。どうすれば、楽にショートカットキーを使いこなせるようになるでしょうか。

キー割り当て変更アプリを使う

エクセルのショートカットキーは非常にたくさん用意されており、全部を正確に覚えることは難しいでしょう。そんなときは、よく利用するショートカットキーで覚えにくいもの、あるいは押しにくい組み合わせをキーボードの使用頻度の低いキーに割り当てるという手があります。たとえば、[Ctrl]+[Shift]+[3]キーの代わりに、[PrintScreen]キーを押せばいいように設定するのです。

これはOSそのものの機能では実現できないので、アプリを導入します。同種の機能を持つアプリはいくつかありますが、「AutoHotkey」を使うと柔軟に設定ができます。まず「AutoHotkey」を作者のWebサイト

（https://autohotkey.com/）よりダウンロードし、インストールしておきます。

スクリプトファイルを作成する

デスクトップの何もない場所を右クリックして（❶）、「新規作成」→[Auto Hotkey Script] を選択する（❷）

スクリプトファイルを編集する

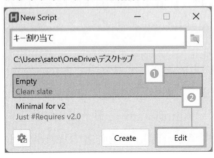

スクリプト名を入力し（❶）、「Edit」をクリックする（❷）。「Select an editor」ダイアログが表示されたら「メモ帳」を選択し、「OK」をクリックする

スクリプトを入力する

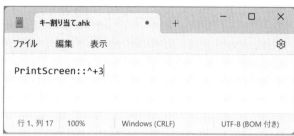

「メモ帳」が起動したら、スクリプトを入力する。ここではシリアル値を年月日に変換する[Ctrl]＋[Shift]＋[3]キーを[PrintScreen]キーで代用するため、図のスクリプトを入力して保存する。デスクトップに作成できたファイルをダブルクリックして実行する

　これで、エクセルでシリアル値の入ったセルを選択した状態で[PrintScreen]キーを押すと、年月日に書式が変更されます。

　また、[Ctrl]キーが押しづらいときは、ここで紹介した「AutoHotkey」でスクリプトファイルに「Caps lock::Ctrl■sc03a::Ctrl」（■は改行）と入力して実行すると、[CapsLock]キーが[Ctrl]キーのように使えます。

03 キーボードの操作で 右端のシートに移動する

ブックの中にシートがたくさん含まれると、切り替えが面倒になってきます。シートをバラバラにする以外に切り替えを簡単にする方法はないでしょうか。

マクロで右端のシートを選択する

多くのシートを含むブックで右端のシートに移動したいときは、どうすれば速いでしょうか。マウスでシートのタブをクリックする方法や、ショートカットキー（[Ctrl] + [PageDown]）を使う方法がありますが、スクロールしないと目的のシートのタブが表示されないくらいシート数が多い場合、どちらも面倒です。

ここで紹介したいのは、目的のシートを選択する操作をマクロに記録し、ショートカットに割り当てる方法です。ブックの種類がマクロ入り（xlsm形式）になってしまいますが、現在どのシートを表示しているかに関係なく、特定のショートカットキーで目的のシートを一発で表示できます。

いつも同じシートを開く必要がある場合の例

6	7月		
7	8月		
8	9月		
9	10月		
10	11月		
11	12月		
12	1月		

⟨ ⟩ ··· FY2022集計用 　 FY2021集計用 　 FY2020集計用 　 **入力用**　❶

図のように作業用のシートが右端にあると（❶）、[Ctrl]＋[PageDown]キーを何度も押す必要がある。効率化を図るため、ここではショートカットキーを一度押すだけで目的のシートが開くようにマクロを作成する

「マクロの記録」ダイアログを開く

「開発」タブの「コード」グループで「マクロの記録」をクリック（❶）。「マクロの記録」ダイアログが開くので、マクロ名、割り当てるショートカットキーを設定し、マクロの保存先を「作業中のブック」に設定する（❷）

シートを開く動作をマクロに記録する

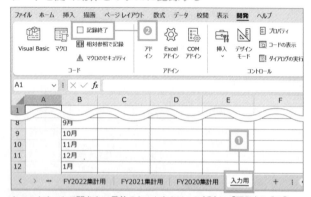

ショートカットで開きたい目的のシートをクリック（①）し、「開発」タブの「コード」グループで「記録終了」をクリック（②）

xlsm形式で保存する

マクロが記録されているので、ブックを保存するときにはxlsm形式で保存する必要がある。Backstageビューで「名前を付けて保存」をクリックし、「ファイルの種類」で「Excelマクロ有効ブック」を選択して保存する（①）

04 複数の表を効率よく 1つにまとめるには

同じ取引先に対して、別々の部門からの売り上げの表が送られてきたとき、1つの表にまとめるにはどうしたらよいでしょうか。実は、なかなかの難問なのです。

表の結合機能を利用する

　複数の表を1つにまとめるのは、エクセルでの面倒な作業のワースト1位に挙げられるかもしれません。もとの表のシートを表示して値をコピーし、新たに表を作りたいシートに切り替えてペーストする……といった作業を何十回も繰り返すのは苦行としかいいようがないでしょう。同じシートに2つの表をコピーしても、目でコピー先を確認しながらの作業は辛いものです。

　そんなときは、表の結合機能を試してみましょう。行見出しと列見出しが基本的に同じ内容であれば、1つの表にまとめることができます。また、結合された表は、結合元の表の値が参照設定されるので、結合元の値を変更すると自動で値が反映されます。

集計用シートを作成して表を結合する

集計用のシートを追加し、集計表の左上の部分となるセルを選択（❶）。「データ」タブの「データツール」グループで「結合」をクリックする（❷）

結合する表を選択して対象に追加する

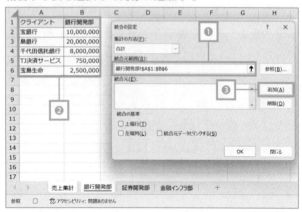

「結合の設定」ダイアログが開くので、「結合元範囲」をクリックし（❶）、結合する表を選択する（❷）。このとき、表の見出しも併せて選択する。「追加」をクリックし（❸）、結合対象に加える

すべての表を選択して結合を実行する

図のように結合したい表をすべて入力（❶）。入力が終わったら「結合の基準」の「上端行」「左端列」「結合元データとリンクする」の全部にチェックをつける（❷）

結合された表を確認する

A2	✓ : × ✓ fx				
	A	B	C	D	E	F
1	金融本部売上集計				
2			金融インフラ部	銀行開発部	証券開発部
5	宝証券	30,000,000		25,000,000
8	島証券	40,000,000		35,000,000
12	宝銀行	75,000,000	10,000,000	30,000,000
14	島銀行		20,000,000
18	千代田信託銀行	20,000,000	8,000,000	12,500,000
21	TJ決済サービス	12,000,000	750,000
24	宝島生命	25,000,000	2,500,000
25				
26				

選択した表が結合されている。値が参照設定されているので、結合元の値を変更すると自動反映してくれる。もとの表にない項目の値は、空白で表示される

05 1つのブックを複数の人で同時に編集できない？

エクセルでは、1つのブックを複数の人で同時に編集することは基本的にできません。「Googleスプレッドシート」などを利用すれば可能ですが、エクセルで何とかする方法はないのでしょうか。

OneDriveに保存して共有する

エクセルのブックをメールに添付して送付し、受け取った人は必要な修正を施して返送、さらに受け取った人が修正して返送 …… というワークフローが多くの企業で行われています。筆者はこのワークフローを「Excelピンポン」と呼んでいます。ブックを編集しては、メールで送信する様子が卓球を思わせるからですが、この「Excelピンポン」は実は大変非効率的なワークフローなのです。

その理由はいくつかあります。まず、1つのブックを同時に編集できないことです。エクセルはそもそもファイルをパソコン上で編集するので、共同作業には向いていません。編集したブックは、何度もメールに添付

してやりとりしなければなりません。

さらに、もっと深刻なのはバージョンの問題です。同じファイル名のブックをやりとりしていると、古いブックで新しいブックを上書きするという事故が起こりがちです。

このような、「Excelピンポン」の問題を解決する方法の1つがOneDriveによる共有です。OneDriveにブックを保存して共有設定を行えば、ブラウザーでブックを編集することができるようになります。編集結果は、数十秒程度で反映されるので、同時に複数の人が同じブックを編集できます。共有設定を行うには、相手のメールアドレス宛にリンクを送ります。

また、メール以外では、LINEなどのチャットアプリでもブックを共有できます。メールアドレスの入力画面で、最下部にある「コピー」をクリックします。共有設定を変更したい場合は「リンクを知っていれば誰でも編集できます」をクリックし、リンクをLINEなどで相手に送れば共有できます。

OneDriveにアップロードして共有する

画面右上にある「共有」→「共有」をクリックする（❶）。OneDriveのログイン画面が表示されたら、メールアドレスとパスワードを入力してログインする。「共有」ダイアログが表示されるので、アップロード先に利用するアカウントをクリックする（❷）

共有相手のメールアドレスを入力する

「リンクの送信」ダイアログが表示されたら、共有相手のメールアドレスを入力する（❶）。初期値は「編集可能」（鉛筆のアイコン）となっているので、編集させない場合は「表示可能」を選択し（❷）、「送信」をクリックする（❸）

06 ファイルサーバーの ブックを編集禁止に

「ひな形は各自コピーしてから編集してください」
と何度伝えても、ファイルサーバー上のブックを編
集してしまう事故が起こるなら、いい方法があり
ます。

テンプレート形式で保存しておく

　ファイルサーバーの共有フォルダーに各種申請用の
テンプレートを保存しておき、各自が自分のパソコン
にコピーしてから編集して印刷・提出するケースは少
なくないでしょう。

　ただし、この方法はファイルサーバーに保存してい
るテンプレートのブックをダブルクリックして編集し
てしまう人が出てきた場合、テンプレートが簡単に壊
れてしまうという問題があります。

　この問題を防ぐには、ファイルサーバーに保存する
ブックの形式をテンプレート形式（拡張子は「.xltx」）と
しておきましょう。編集後に上書き保存しようとする
と、「このファイルを保存」ダイアログが表示され、「ファ

イル名」の入力と「保存場所を選択」するように促されます。そして、通常のExcelブック形式（拡張子は「.xlsx」）で、テンプレートのブックとは別のブックとして保存されます。

ひな形を作成してテンプレート形式で保存

利用者に配布するためのひな形を作成して、Backstageビューで「名前をつけて保存」をクリック（❶）。共有フォルダーに保存するときに「Excelテンプレート」を選択する（❷）

名前を付けてファイルを保存する

ファイルの編集後に、上書き保存のショートカット[Ctrl]＋[S]キーを押すと、「このファイルを保存」ダイアログが表示される。「ファイル名」を入力し（❶）、保存場所を選択したら（❷）、「保存」をクリックする。すると拡張子「.xslx」形式でテンプレートとは別のブックとして保存される

07 表に必要な要素は テーブルですべて揃う

1行が1データで構成される表を作成して、必要なデータのみ抽出したり、金額の集計をしたりしているなら、テーブルを使わない手はありません。通常の表に比べると、いろいろなメリットがあるのです。

データ操作に必要な機能がすぐに使える

テーブルとは、表を1つのかたまりとして扱うためのしくみです。表をテーブルに変換すれば、ソートやフィルター、集計といった、頻繁に利用する操作が簡単にできるようになります。これらを別々に使えるように設定すると、かなり手間がかかりますが、テーブルなら一瞬です。リスト形式のデータを扱うなら、設定しないと損だといってもいいくらいです。

表をテーブルに変換すると、自動的にフィルターが設定され、背景色などのデザインを設定できます。この背景色は通常の表とは異なり、たとえば1行おきに背景色が設定されたデザインを選択すると、途中に1行追加しても手動で設定を変更することなく、1行お

きの背景色になります。また、最下行にデータを入力すると、テーブルの範囲が自動的に拡張されます。

さらに、気づきにくい特徴ですが、テーブルには名前が付けられます。VLOOKUP関数など、表全体を引数として要求する関数を使うときに便利です。

表をテーブルに変換する

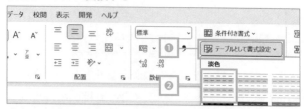

表のセルを選択して、「ホーム」タブの「スタイル」グループで「テーブルとして書式設定」をクリックし（❶）、表示されたスタイルの一覧から適用したいスタイルを選択する（❷）

テーブルに変換する範囲を確認する

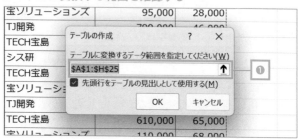

「テーブルとして書式設定」ダイアログが表示されるので、表の範囲が正しく選択されていることを確認する（❶）

テーブルに変換される

	A	F	G	H
1	クライアント	営業部… ダー	ベンダー発注金額	粗利
2	宝証券	証券開発 H宝島	689,000	65,000
3	島証券	証券開発 リューションズ	185,000	18,000
4	宝銀行	行開発 開発	327,000	75,000
5	島銀行	銀行開発 CH宝島	502,000	65,000
6	千代田信託銀行	信託開発 リューションズ	95,000	28,000
7	TJ決済サービス	決済開発 発	799,000	46,000
8	宝島生命	生命開発 H宝島	312,000	44,000
9	島システム研究	テクノ 研	612,000	66,000
10	宝証券	証券開発 CH宝島	789,000	67,000
11	島証券	証券開発 リューションズ	275,000	29,000
12	宝銀行	銀行開発 発	425,000	76,000
13	島銀行	銀行開発 CH宝島	610,000	65,000
14	千代田信託銀行	信託開発 ソリューションズ	110,000	68,000
15	TJ決済サービス	決済開発 開発	899,000	57,000
21	島銀行	銀行開発 H宝島	810,000	66,000
22	千代田信託銀行	信託開発 ソリューションズ	210,000	68,000
23	TJ決済サービス	決済開発 開発	499,000	57,000
24	宝島生命	生命開発 CH宝島	712,000	77,000
25	島システム研究	テクノロ 研	910,000	77,000
26	集計			1,414,000

表がテーブルに変換される。自動的にフィルターが設定され（❶）、選択したスタイルの「見出し行」（❷）や「集計行」（❸）、「縞模様」などが適用される

　テーブルは「簡単に表に背景色を設定するための機能」として紹介されることがあります。確かに、簡単な操作で1行おきに背景色を設定できますが、それはテーブルの本質ではありません。フィルターや集計など、もっと便利な機能にも注目するようにしてください。

08 複数の基準で データを並べ替えるには

エクセルでデータの並べ替えを行う方法は、いくつかあります。テーブルを使う方法が最も便利ですが、フィルター機能や、ここで紹介する、そのものズバリの名前を持つ「並べ替え」も使えます。

「並べ替え」機能をうまく使いこなす

並べ替えを行うことができる機能のうち、テーブルやフィルター機能は1つの列の値によって並べ替えを行います。複数の列の値を参照して並べ替えたいときは、「並べ替え」機能を利用すると便利です。

「データ」タブの「並べ替え」機能を使ってデータを並べ替える場合、並べ替えを行う列の優先順位の付け方によって、まったく異なるデータの並びになってしまいます。

優先順位とは、たとえば「X列を大きい順に並べ、さらにY列を昇順に並べ、さらにZ列を降順に並べる」という条件を考えたとき、X列を最優先にし、次いでY列、Z列を優先するという意味です。

並べ替えを実行する

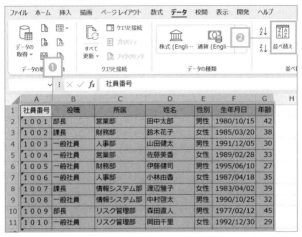

並べ替えを行いたい表を選択し(❶)、「データ」タブの「並べ替えとフィルター」グループで「並べ替え」をクリック(❷)

並べ替えの基準を入力する

「並べ替え」ダイアログが表示される。まず最優先に並べ替える項目とキー、順序を入力したら、「レベルの追加」をクリック(❶)。並べ替えの基準が1行追加されるので、対象とする項目とキー、順序を入力する。基準の数だけこの操作を繰り返す。ここでは3種類のキー項目を、年齢は小さい順、社員番号は昇順、姓名も昇順(五十音順)に設定した(❷)

セルの値についてアラートが表示されたとき

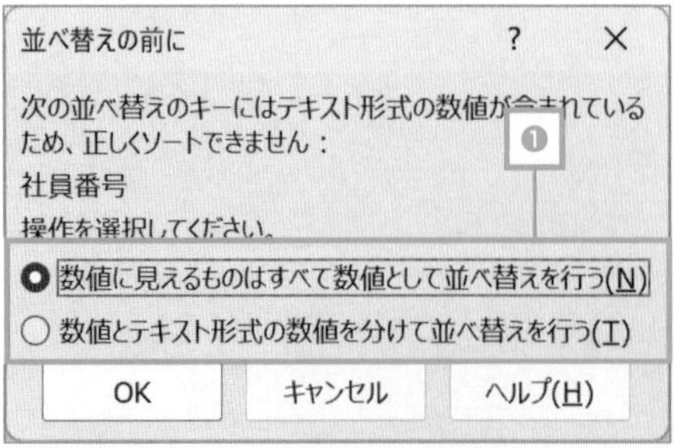

| 並べ替えの前に | ? | × |

次の並べ替えのキーにはテキスト形式の数値が含まれているため、正しくソートできません：
社員番号
操作を選択してください。

❶

● 数値に見えるものはすべて数値として並べ替えを行う(<u>N</u>)

○ 数値とテキスト形式の数値を分けて並べ替えを行う(<u>T</u>)

| OK | キャンセル | ヘルプ(<u>H</u>) |

もし上図のような警告が表示されたら「数値に見えるものは～」を選択する(❶)

| COLUMN |

（オートフィルのショートカットキーはない？）

エ　クセルを使っていると「この機能にショートカットキーが割り当てられてないのは変じゃない？」と思うことも出てきます。その筆頭がオートフィルではないでしょうか。フィルハンドルという小さなパーツにマウスポインターを合わせて操作しなければならず、かなり面倒です。アクセスキーも使えますが、あらかじめオートフィルで値を入力したいセルを選択してから [Alt]→[H]→[F]→[I]→[S]→[Alt] + [F]→[Enter] という操作が必要で、時短になりません。場面ごとに適切な方法を探るしかないようです。

09 特定の条件に合った データのみ表示したい

表の中のデータが多いと、条件に一致するデータを見つけるのはなかなか大変です。目的のデータだけを表示したいときは、「フィルター」機能を使いましょう。

「フィルター」機能を利用する

　大きな表で条件に一致したデータを探したいとき、まず思いつくのが検索機能でしょう。検索キーワードを入力して検索し、ヒットしたデータが1つしかなく、それを確認して作業が終わりなら検索機能を使うのがベストでしょう。しかし、いくつものデータが検索にヒットし、それぞれに対して別の操作をしなければならない場合は、フィルター機能を使うのが便利でしょう。

　テーブルを設定した表でフィルターを利用するなら、見出しの行の「▼」をクリックして表示したいデータのみチェックを付ければ、必要な行のみ表示されます。

　一方、データの問題でテーブルが利用できないときは、「データ」タブの「フィルター」からフィルターを設

定します。利用できる機能は、テーブルでのフィルター機能とほぼ同じです。

フィルターをかける表を選択する

フィルターをかけたい表は見出しを含めて選択し（❶）、「データ」タブの「並べ替えとフィルター」グループで「フィルター」をクリックする（❷）

表示したいデータのみに絞り込む

フィルターを適用すると列見出しの項目の右端に「▼」が表示される。その「▼」をクリックし（❶）、表示したいデータの項目のみにチェックをつける（❷）

選択したデータのみが表示される

	A	B	C	D	E	F	G
1	社員番▼	役職 ▼	所属 ▼	姓名 ▼	性▼	生年月日 ▼	年▼
3	1002	課長	財務部	鈴木花子	女性	1985/03/20	38
5	1004	一般社員	営業部	佐藤美香	女性	1989/02/28	33
17	1018	一般社員	経営企画部	岡木	女性	1985/02/14	37
19	1018	一般社員	営業部	山口みえ	女性	1990/04/05	33
31	1030	課長	経営企画部	井上香織	女性	1988/04/05	34
33	1032	一般社員	営業部	渡部さやか	女性	1980/02/22	41

フィルターの項目で選択したデータのみが表示された（❶）。データは複数の列で絞り込むことができ、絞り込みを行っている列にはフィルターの記号が表示される（❷）。また、フィルターを適用している間は行番号は青く表示される（❸）

— COLUMN —

紙に印刷された表をエクセルに取り込む

紙 に印刷された表のデータをエクセルで活用したいときにおすすめなのが、モバイル版「Microsoft 365」の「テーブルのスキャン」機能です。スマホのカメラで表を撮影するだけで、エクセルに変換することができます。

「Microsoft 365」アプリを起動し、「＋作成」→「Excel」→「テーブルのスキャン」をタップ。カメラが起動するので、表が印刷された紙を撮影する。「レビュー」で内容を確認して「開く」をタップすると、変換されたテーブルがエクセルで表示される

10 抽出したデータのみを 対象にして計算するには

フィルターで絞り込んだデータの数値を通常の表で計算するには、SUM関数ではなく、SUBTOTAL関数またはAGGREGATE関数が必要です。テーブルならそれらの関数を手入力せずに簡単に集計できます。

テーブルなら簡単にできる

SUM関数は、行や列が非表示になっていても、お構いなしに計算対象に含めてしまいます。もしフィルターで絞り込んだときに、表示されている数値のみ計算してほしいなら、SUMの代わりにSUBTOTAL関数かAGGREGATE関数を使わねばなりません。

=SUBTOTAL(集計方法, 集計範囲)
=AGGREGATE(集計方法, オプション, 集計範囲)

SUBTOTAL関数とAGGREGATE関数のどちらを使えばよいかですが、SUBTOTAL関数は集計範囲にエラー値があると、エラーを返すのに対して、AGGREGATE関数ではそれを無視できます。エラー

値を表示したくない場合は、AGGREGATE関数を使うのがおすすめです。

このように、集計に使用する関数の扱いはやや面倒です。もう少し簡単に集計したいなら、テーブルを使うといいでしょう。エラー値がテーブルに入っていなければ、テーブルの集計機能を利用できます。

集計行を表示する

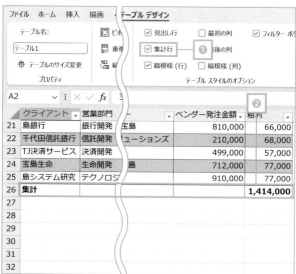

クライアント	営業部門	ー	ベンダー発注金額	粗利
21	島銀行	銀行開発	宝島	810,000	66,000
22	千代田信託銀行	信託開発	リューションズ	210,000	68,000
23	TJ決済サービス	決済開発		499,000	57,000
24	宝島生命	生命開発	島	712,000	77,000
25	島システム研究	テクノロジ		910,000	77,000
26	**集計**				1,414,000
27					
28					
29					
30					
31					
32					

テーブルの中のセルを選択した状態で、「テーブルデザイン」タブの「テーブルスタイルのオプション」グループで「集計行」にチェックを付ける（❶）。すると、テーブルの最下行に集計行が表示される（❷）

集計方法を選択する

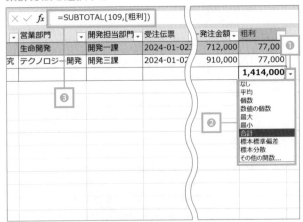

集計行で集計しているセルを選択すると「▼」が表示される。これをクリック
（①）して、集計方法を選択する（②）。数式バーを確認すると、SUBTOTAL
関数を使っていることがわかる（③）

| COLUMN |

TRIM関数で不要なスペースを削除する

セ ル内の余分なスペースを削除したいときは、
TRIM関数を使うと便利です。書式は「=TRIM(セ
ル参照またはセル範囲)」で、文字列の先頭や末尾の
スペース、単語間の余計なスペースを削除して1つだ
け残します。なお、全角と半角のスペースが並んでい
る場合は、先頭に近いスペースが残ります。

11 コピー不可能な状態でブックを送信したい

ブックの内容そのものは秘密ではないが、コピーして複製を作られたくないことがあるでしょう。そういうときは、「シートの保護」機能を使います。

「シートの保護」機能を利用する

たくさんの数字をまとめた表や、美しいグラフで作り上げたブックをそのままコピーされると困る場合、どうすればいいでしょうか。ブック全体にパスワードをかけると、読み取り時にパスワードが必要になりますが、いったん開いたらコピーし放題です。

では、内容そのものは秘密ではないけれど、そのままコピーして使用されることは避けたい場合には、どうしたらよいでしょうか。

そんなときは、「シートの保護」機能を利用してセルの選択ができないようにしてしまいましょう。セルが選択できないので、値をコピーすることができなくなります。また、どんな関数を使っているかもわかりません。

シートの保護を実行する

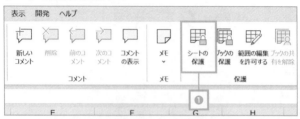

値を変更させたくないシートを選択して「校閲」タブの「保護」グループで「シートの保護」をクリック(❶)

ダイアログで設定する

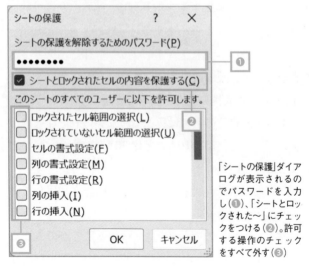

「シートの保護」ダイアログが表示されるのでパスワードを入力し(❶)、「シートとロックされた〜」にチェックをつける(❷)。許可する操作のチェックをすべて外す(❸)

シートが保護されてセルの選択ができなくなった

							シート保護の解除	ブックの保護	範囲の編集を許可する	ブックの共有を解除		インクを非表示にする	
新しいコメント	削除	前のコメント	次のコメント	コメントの表示	メモ								

コメント　　　　メモ　　　　　　　保護　　　　　　　　　インク

❶　　**❷**

E		投資信託システム部	基盤構築部	H	I	J
本部・保守費用分)						
ローン商品システム部	投資信託システム部	基盤構築部	BCP・DR構築費	計		
2,800,000	1,200,000	500,000	4,000,000	13,000,000		
2,800,000	1,200,000	500,000	4,000,000	13,000,000		
2,800,000	1,200,000	500,000	4,000,000	13,000,000		

保護を行うとセルが選択できなくなる（❶）。解除する場合は「校閲」タブの「保護」グループで「シート保護の解除」をクリック（❷）

　なお、シートの保護機能は、中身を変更できないようにするだけで、中身を読み取れないようにする機能ではありません。読み取りを制限したいなら、ブックにパスワードを設定します。

読み取りを制限する

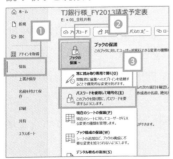

Backstageビューで「情報」をクリックする（❶）。「ブックの保護」をクリックし（❷）、「パスワードを使用して暗号化」を選択（❸）する。「ドキュメントの暗号化」ダイアログが表示されるので、パスワードを設定する

12 ブックを開いたら必ず 同じセルを選択するには

多数のシートを含むブックに頻繁に入力する場合、保存のタイミングによっては、開いたときに表示されるシートが毎回バラバラになってしまいます。この現象を何とかできないでしょうか。

初期表示のセル番地をマクロでセット

複数のシートが含まれるブックや、大きな表が配置されたシートを含むブックで、アクティブセルが右端のシートにあったり、表の下端にあったりすると、作業を始めづらいことがあります。顧客に渡すブックであれば、なおさら気にすべき点です。

この問題を解決したいなら、初期表示のシートと選択するセルをマクロで指定しておくと、問題の発生頻度を劇的に減らすことができます。

マクロには、「ブックを開いたときに必ず行う動作」を定義することができます。今回はブックを開いたときのイベントである「Open」の中に、シートとセルを選択するコードを記述します。

初期表示するシートとセルを確認してVBエディターを開く

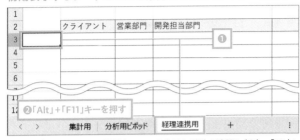

初期表示させるシートと選択するセルの名前と番地を確認し(❶)、「Alt」+
「F11」キーを押してVBエディターを開く(❷)

エクセル起動時に行う動作を記述する

「プロジェクト」の「ThisWorkbook」をダブルクリックする(❶)。「コードウィ
ンドウ」上部の左カラムで「Workbook」を選択後、右カラムで「Open」を選択
する(❷)。自動でWorkbook_Open ()〜 End Subが入力されるのでその間に、
以下のコードを入力する(❸)。「初期表示するシート」にはシート名を、「初
期選択するセル」にはセル番号を入力すればよい

```
Sheets("初期表示するシート").Activate
Range("初期選択するセル").Select
```

13 作成者の個人情報を削除したい

社外にファイルを配布する場合、ファイルに記録された個人情報を削除しておかないと、予想外の問題が起こる可能性があります。ここでは、そんな事態を避けるためのテクニックを解説します。

2つの方法から選択できる

エクセルのブックには、最終更新者や作成日時をはじめとして、作成し、会社名、タイトル、コメントなどの情報を記録することができます。特に、最終更新者と作成日時は、エクセルの操作内容がそのままブックに自動的に記録されます。社内文書なら、それらの情報は残しておくべきかもしれませんが、ネットで公開する文書では削除すべきでしょう。

ブックに記録された最終更新者を削除するには、エクセルで実行する方法と、エクスプローラー上で実行する方法の2つがあります。いずれの方法でも、一度削除すると元に戻すことはできないので、作業時は注意してください。

エクセル上でブックを検査する

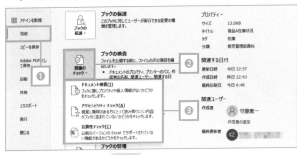

個人情報を削除したいブックを開いて、Backstageビューで「情報」をクリックする（❶）。「問題のチェック」をクリックして（❷）、「ドキュメント検査」を選択する（❸）。「ドキュメントの検査」ダイアログが表示されたら、「ドキュメントのプロパティと個人情報」にチェックがついていることを確認して（❹）「検査」をクリックする（❺）

ブックに含まれる個人情報を削除する

検査結果が表示され、「ドキュメントのプロパティと個人情報」で個人情報が記録されていることがわかったので、「すべて削除」をクリックする（①）。個人情報が削除されたことが表示される（②）

エクスプローラーで個人情報を削除する

エクスプローラーでブックから個人情報を削除するには、まずブックを右クリックして「プロパティ」を選択。「プロパティ」ダイアログが表示されたら「詳細」タブで「プロパティや個人情報を削除」をクリック（①）。「プロパティの削除」ダイアログで「このファイルから次のプロパティを削除」を選択し（②）、「すべて選択」をクリック（③）。「OK」をクリックすれば、削除できる

STAFF

執筆協力	岩渕 茂／金子正晃／折中良樹
編集協力	クライス・ネッツ
カバーデザイン	杉本欣右
本文デザイン・DTP	森 雄大

宝島
SUGOI
文庫

決定版 エクセルの「時短技」ぜんぶ！
（けっていばん えくせるの「じたんわざ」ぜんぶ！）

2024年2月20日　第1刷発行

著　者　守屋恵一
発行人　関川 誠
発行所　株式会社 宝島社
〒102-8388　東京都千代田区一番町25番地
　　　　　電話：営業 03(3234)4621／編集 03(3239)0927
　　　　　https://tkj.jp
印刷・製本　図書印刷株式会社